À PROPOS DE
LA NUIT DE ...

1984 — PRIX A...
1984 — PRIX JO...
1984 — PRIX DE ... DE TORONTO

« WRIGHT... A LE SENS DES PERSONNAGES, DES LIEUX
ET DE TOUS CES PETITS RIENS QUI RAPPELLENT LA VIE
COURANTE. MAIS C'EST CHARLIE, À LA FOIS
UN ÊTRE CHARMANT ET UN POLICIER ATTACHANT,
QUI VOLE LA VEDETTE DU LIVRE. »
The Washington Post

« LE PREMIER ROMAN D'ERIC WRIGHT
EST UN TRAVAIL SUPERBE, EN GRANDE PARTIE
GRÂCE À DES PERSONNAGES RENDUS DE FAÇON
EXQUISE, PLUS PARTICULIÈREMENT CELUI,
ATTACHANT ET HUMAIN, DE CHARLIE SALTER. »
The San Diego Union

« MEILLEUR PREMIER ROMAN : *LA NUIT DE TOUTES LES
CHANCES*, DE ERIC WRIGHT. C'EST MON CHOIX
PRINCIPALEMENT À CAUSE DE CE PERSONNAGE
EXTRAORDINAIRE D'INSPECTEUR QUI SOLUTIONNE
L'ÉNIGME DU MEURTRE... JE SOUHAITE QUE CE SOIT LE
DÉBUT D'UNE GRANDE SÉRIE POUR CHARLIE SALTER. »
The Hudson Sun

« ERIC WRIGHT A ÉCRIT L'HISTOIRE D'UN ADULTE
ARRIVANT SOUDAINEMENT À MATURITÉ. »
The New York Times Book Review

« LA TOILE DE FOND CANADIENNE
EST VRAISEMBLABLE, LE HÉROS EST INTÉRESSANT,
TOUT COMME LE CANEVAS GÉNÉRAL DE L'HISTOIRE
ET SON ÉCRITURE ; UN DÉBUT DE SÉRIE PÉTILLANT. »
The Times Literary Supplement

Du même auteur

Série Charlier Salter

1. *The Night the Gods Smiled*, HarperCollins, 1983.
   La Nuit de toutes les chances. Roman.
      Lévis : Alire, Romans 074, 2004.

2. *Smoke Detector*, HarperCollins, 1984.
   Une odeur de fumée. Roman.
      Lévis : Alire. (Automne 2004)

3. *Death in the Old Country*, HarperCollins, 1985.
      Lévis : Alire. (Printemps 2005)

4. *A Single Death*, HarperCollins, 1986.
      Lévis : Alire. (Printemps 2005)

5. *A Body Surrounded by Water*, HarperCollins, 1987.
      Lévis : Alire. (Automne 2005)

6. *A Question of Murder*, HarperCollins, 1988.

7. *A Sensitive Case*, Doubleday, 1990.

8. *Final Cut*, Doubleday, 1991.

9. *A Fine Italian Hand*, Doubleday, 1992.

10. *Death By Degrees*, Doubleday, 1993.

11. *The Last Hand*, Dundurn Press, 2001.

LA NUIT DE TOUTES LES CHANCES

LA NUIT DE
TOUTES LES CHANCES

ERIC WRIGHT

traduit de l'anglais
par
ISABELLE COLLOMBAT

ALIRE

Illustration de couverture
LAURINE SPEHNER

Photographie
ERIC WRIGHT

Diffusion et distribution pour le Canada
Québec Livres
2185, autoroute des Laurentides, Laval (Québec) H7S 1Z6
Tél.: 450-687-1210   Fax: 450-687-1331

Diffusion et distribution pour la France
DNM (Distribution du Nouveau Monde)
30, rue Gay Lussac, 75005 Paris
Tél.: 01.43.54.49.02   Fax: 01.43.54.39.15
Courriel: liquebec@noos.fr

Pour toute information supplémentaire
LES ÉDITIONS ALIRE INC.
C. P. 67, Succ. B, Québec (Qc) Canada G1K 7A1
Tél.: 418-835-4441   Fax: 418-838-4443
Courriel: alire@alire.com
Internet: www.alire.com

Les Éditions Alire inc. bénéficient des programmes d'aide à l'édition de la
Société de développement des entreprises culturelles du Québec (SODEC),
du Conseil des Arts du Canada (CAC) et reconnaissent l'aide financière du
gouvernement du Canada par l'entremise du Programme d'aide au développement de l'industrie de l'édition (PADIÉ) pour leurs activités d'édition.

Gouvernement du Québec – Programme de crédit d'impôt pour l'édition
de livres – Gestion Sodec.

The Night the Gods Smiled
© **1983** ERIC WRIGHT

Dépôt légal: 1er trimestre 2004
Bibliothèque nationale du Québec
Bibliothèque nationale du Canada

© **2004** ÉDITIONS ALIRE INC. pour la traduction française

10   9   8   7   6   5   4   3e MILLE

Pour Valerie

CHAPITRE 1

Ces temps-ci, Charlie Salter avait des réveils difficiles. Les pires matins étaient ceux où il lui fallait quelques minutes pour émerger de ses cauchemars et se rendre compte qu'il était dans son lit, chez lui, qu'il n'avait tué personne ni commis aucun acte irréparable. Il y avait d'autres réveils pénibles, comme ce matin-là, où il restait allongé, attendant que le souvenir de tous ses échecs se dissipe à la lueur du jour. Ses premiers échecs à l'école («À la première difficulté, tu baisses les bras.»), son bref passage à l'université («Tu ne finis jamais rien.»), son stupide premier mariage, qui avait fait naufrage en moins d'un an et, pour finir, son échec professionnel. Salter était inspecteur de police. Il était inspecteur depuis cinq ans et, sans doute, il le resterait pendant encore quinze ans, jusqu'à la retraite, ce qu'il n'aurait jamais pu imaginer lorsqu'il était entré dans la police. C'est essentiellement cet échec-là qui hantait son demi-sommeil, éclairant ses autres ratages à mesure qu'ils jaillissaient du tréfonds de son inconscient.

Ses yeux s'ouvrirent et il entreprit de rendre à nouveau le monde supportable. À côté de lui, Annie dormait toujours. Salter glissa la main sous sa chemise de nuit (l'une de celles qu'il préférait, en coton épais, qu'Annie avait héritée de sa grand-tante, plus érotique à soulever que n'importe quel négligé) et la caressa, d'abord au hasard puis plus méthodiquement, jusqu'à ce qu'elle ouvre les yeux. Il continua, attendant qu'elle se mette hors de sa portée ou qu'elle s'offre à lui. Elle ne fit ni l'un ni l'autre ; elle resta simplement là, sous sa main, maintenant réveillée, mais gardant les yeux fermés. Il s'arrêta et elle lui dit : « Tu vas être en retard… » Il donna une dernière pression de la main, puis la poussa sur le dos et roula sur elle. Il l'embrassa fougueusement, se frottant contre elle. Voilà ce dont il avait besoin. Et comme son désir s'éveillait (pas encore de défaillance de ce côté-là), les fantômes de ses échecs rampèrent sous terre où ils resteraient tapis un jour encore. Salter serra Annie dans ses bras dans une dernière étreinte taquine, pour faire bonne mesure, et s'assit sur le bord du lit. La journée pouvait commencer.

En bas, la porte d'entrée claqua ; Seth, le plus jeune de ses deux fils, avait terminé sa tournée de distribution des journaux. Il rentrait toujours vers sept heures. Son frère Angus, âgé de quatorze ans, faisait une tournée double ; il arriverait un quart d'heure plus tard.

Salter balança les jambes hors du lit et se leva.

— Tu veux un jus de fruit ? demanda-t-il.

Sa femme lui tourna le dos et tira les couvertures jusqu'au menton.

— Oui, merci.

Dans la cuisine, Seth était déjà en train de manger les balayures de grange devenues traditionnelles dans la famille, un mélange de céréales et de fruits secs qu'Annie composait à l'aide d'ingrédients achetés au St. Lawrence Market ; Salter jugeait cette mixture non comestible, mais les garçons la préféraient à n'importe quoi d'autre. Salter adressa un grognement à son fils et versa un verre de jus d'orange. Il remplit la bouilloire d'eau chaude du robinet pour faire le café et monta le jus d'orange à sa femme.

Elle était encore à moitié endormie : il la regarda un moment revenir à la vie. Comme tout le monde ne cessait de le lui rappeler, Annie avait la quarantaine époustouflante : le même teint lisse et frais, les mêmes cheveux châtains épais et courts sans aucune trace de gris et, plus stupéfiant encore, les dents du même blanc éclatant que lorsqu'elle avait quatorze ans. Ce n'était pas une beauté, mais elle était perpétuellement rayonnante : une vraie publicité pour ses céréales. Au moment où elle s'assit pour boire son jus d'orange, la porte d'entrée claqua une fois encore : Angus était rentré.

— Grosse journée ? demanda Annie.

— C'est fini, les grosses journées, maintenant, répondit Salter en entrant dans la salle de bains. À ma connaissance, ma seule tâche consistera à faire visiter notre bureau à des flics de New York.

Il se savonna le visage et tenta de deviner lequel des sept rasoirs jetables qui étaient sur le bord de la baignoire était le plus coupant.

— C'est agréable, dit-elle. Tu rentres toujours à la maison à l'heure.

— Comme tu dis.

Salter trouva un rasoir à la lame bien affilée et commença à se raser. Il entendit derrière lui Annie sortir du lit et descendre l'escalier. Il acheva sa toilette et enfila son « uniforme » civil : chaussettes et caleçon propres, chemise de la veille, veston de

tweed bleu, pantalon gris, cravate bleu marine ornée
d'oies rouges et chaussures noires. Il fit sa tournée
du premier étage, au cours de laquelle il éteignit six
lumières et ferma un robinet, puis descendit, éteignant au passage deux lumières supplémentaires,
et ouvrit la porte d'entrée au chat qui braillait sur le
seuil. Les deux garçons mangeaient leurs céréales en
regardant un dessin animé à la télévision, que Salter
éteignit, elle aussi. Jusque-là, la journée s'était déroulée normalement, entre le désespoir et l'irritation ;
seul l'ennui restait encore à venir.

— Duncan a appelé, dit Annie une fois que Salter
fut assis devant son café avec son journal. Il veut
avoir confirmation que nous serons là-bas pour le
1er juillet.

— Je ne verrais aucun inconvénient à ce que nous
fassions autre chose cette année, répliqua Salter.
Nous avons un mois. Je n'aurais rien contre un
changement.

Des protestations s'élevèrent. Seth poussa sa complainte d'une voix geignarde :

— Allez, papa, on va à l'île, s'il te plaît. Papa, je
t'en prie…

Angus renchérit :

— Oncle Duncan m'a dit que je pourrais faire
partie de son équipage cette année pour les régates.

— Vraiment ? répondit Salter à ce dernier. Eh
bien, peut-être que vous pourriez y aller tous les
deux, pendant que votre mère et moi, nous irions
en voyage.

L'air soucieux qu'afficha Annie ne fit qu'augmenter l'irritation de Salter.

— J'aimerais voir autre chose que cette foutue
île pendant qu'il me reste encore quelques dents !

dit-il en agitant son journal. Nous y sommes allés quatre années de suite et avant ça, presque tous les ans.

Annie répliqua :

— Papa a eu un mauvais hiver. Il ne va pas très bien.

— Ça va, ça va. Est-ce qu'on pourrait parler de tout ça ce soir ?

Il lança un regard furieux aux deux garçons qui attendaient sa capitulation.

L'île en question, c'était l'Île-du-Prince-Édouard, lieu de naissance d'Annie et, depuis des générations, berceau de sa famille, les Montagu, famille importante, ancienne et pétrie des traditions de l'île. Deux des frères d'Annie étaient avocats, son oncle était juge et son père, médecin, avait cessé d'exercer pour se consacrer à la gestion de ses biens immobiliers. Il était propriétaire de deux stations-service, d'une rue entière de maisons à Charlottetown, d'une petite scierie, d'une conserverie et d'un hôtel de villégiature, l'un des plus anciens des provinces Maritimes. C'est dans cet hôtel que Salter avait rencontré Annie, un été, alors qu'il traversait une mauvaise passe après l'effondrement de son premier mariage. Annie donnait un coup de main à l'hôtel ; ses fonctions étaient indéfinies, mais elle s'en acquittait consciencieusement. Elle avait inscrit Salter à la réception, pris sa commande au dîner, bavardé avec lui dans la véranda après le déjeuner, marché avec lui sur la plage au coucher de soleil et, après trois jours, elle avait refusé de le rejoindre au lit, mais lui avait clairement fait comprendre que cela serait possible ailleurs à un autre moment. Il se sentait béni que la princesse de l'île soit tombée amoureuse de lui et, lorsque la saison fut terminée, il la convainquit de venir avec lui à Toronto.

Dans la famille d'Annie, la tradition voulait qu'avant de s'établir, les filles passent une année loin de l'île pour parfaire leur éducation, à Toronto ou à Montréal, voire à Londres.

Avant de quitter l'île pour cette dernière aventure toute relative, les filles étaient généralement fiancées à de futurs avocats ou médecins – souvent leur amour d'enfance – et, le moment venu, une fois que leurs promis avaient terminé leur internat ou stage en entreprise, elles revenaient s'installer dans leur maison ou cottage. La famille d'Annie était bouleversée de voir qu'elle n'avait pris aucune disposition pour son retour et consternée face à son souhait d'épouser un sergent de la police de Toronto. Mais ses parents étaient pleins de bonne volonté, et lorsque Annie amena Salter à l'église familiale le printemps suivant, ils l'accueillirent chaleureusement et le firent membre honoraire du clan.

Depuis lors, Salter et sa famille passaient chaque année leurs vacances à l'île. Ils s'y rendaient parfois en voiture, bien que cela prît trois jours ; le plus souvent, ils prenaient le train, et le frère d'Annie venait les chercher à la gare avec l'une des voitures que la famille mettait à leur disposition pendant les vacances et les clés de la maison d'invités.

Salter avait épousé une tradition, qu'Annie défendait avec la résolution d'une coloniale parmi les indigènes. Elle sortait l'argenterie familiale tous les dimanches (l'arrière-grand-mère Montagu avait apparemment eu de quoi dresser des tables pour trois cents convives et sa collection de couverts avait été divisée après son décès), et leur maison de Toronto regorgeait de meubles sombres et bien cirés qu'Annie avait hérités des maisons familiales (ils n'avaient aucun meuble de pin, ces objets rustiques étant absents du monde des Montagu depuis un siècle et demi). Annie avait en outre introduit quelques rites dans leur vie. Une fois par semaine, le samedi, elle préparait le porridge de son enfance, bien que personne n'en raffolât. Elle cuisinait souvent des chaudrées et faisait elle-même son pain, mais la gastronomie de l'île se limitant à la morue salée et aux pommes de terre, leurs repas – à l'exception de deux ou trois plats qu'elle avait empruntés aux autres provinces maritimes – n'auraient guère été différents si Annie était née à Calgary.

Les membres de la famille d'Annie étaient bien élevés et pleins de tact, et ils tenaient absolument à inclure le choix d'Annie dans le clan. Ils absorbèrent Salter et sa famille dans leur univers de pêche, de voile, d'équitation et de sempiternels soupers de homard, comme s'il avait payé ses droits d'entrée. Salter était la plupart du temps heureux de profiter des plaisirs de leur monde. Mais, parfois, il trouvait tout cela intolérable et étouffant, et il avait l'impression d'être le seul chrétien par alliance dans une famille de juifs, conscient de son état de non-circoncis, de son teint légèrement trop pâle et de la détermination de sa belle-famille à ne jamais le laisser avoir l'impression d'être un étranger.

— Il faut que nous disions rapidement à Duncan si nous y allons ou non, dit Annie au moment où Salter se leva de table.

La maison d'invités était à leur disposition chaque fois qu'ils le souhaitaient, mais elle était très demandée pendant la saison.

Salter se sentait à deux doigts d'aller trop loin. De toute évidence, ses mots avaient un peu contrarié tout le monde. Cela suffisait.

—Dis-lui que nous irons, lâcha-t-il, mais ne perds pas de vue la possibilité d'une petite escapade d'une semaine, rien que toi et moi, d'accord? On pourrait aller s'éclater comme des fous à Moncton.

—Tu vas être en retard, répéta-t-elle. Ne travaille pas trop.

—Je t'ai déjà dit que je ne risquais pas le surmenage, non?

—Oui, je sais, Charles. On ne pourrait pas en parler un de ces jours, de ça aussi?

—De ma démission? D'aller travailler pour ton frère Duncan? Je suis policier, ne l'oublie pas.

Il coupa court à toute réplique en franchissant la porte.

La maison de la famille Salter se trouvait dans un ghetto anglo-saxon situé à l'écart de Oriole Parkway, dans un secteur qui, il n'y avait pas si longtemps, était encore le Nord de Toronto. Mais avec l'expansion de la ville après la guerre et, plus récemment, la construction du métro, ce quartier s'était retrouvé en plein centre-ville. Lorsque lui et sa famille étaient venus s'y installer, Salter allait au travail en voiture, comme tout le monde. Mais à présent, il laissait sa voiture à Annie et prenait le métro. À une époque, bien avant que cela ne devienne à la mode, il avait essayé d'y aller en vélo. Mais il avait abandonné au bout d'un mois, car la ville était en pente du mauvais côté pour lui; le trajet aller était facile, mais il devait affronter la côte épuisante du retour après une longue journée de travail.

Ce matin-là, le train était bondé comme d'habitude, mais il parvint à atteindre la porte de communication entre les deux wagons, au fond de la voiture ; c'était une place convoitée, car, adossé là, il était possible de lire son journal en le tenant à deux mains. Comme à l'accoutumée, les jeunes filles étaient largement majoritaires dans le train – les artères conduisant vers le centre-ville étaient toujours encombrées d'automobiles conduites par des individus de sexe masculin seuls dans leurs véhicules – et lorsque le train se remplit, Salter se trouva agréablement coincé entre une mignonne petite Japonaise qui lui sourit pour lui montrer qu'elle le jugeait inoffensif et une jeune fille blanche, également de petite taille, dont les cheveux crêpelés fleurant bon le shampooing lui arrivaient juste sous le nez. Il baissa son journal pour ne pas risquer de décoiffer ces charmantes têtes et s'efforça d'avoir un air paternel. Lorsque le train arriva à sa station, il regarda par terre afin d'être sûr de n'écraser aucun petit pied en sortant. Les deux jeunes filles levèrent les yeux et lui sourirent. *Les Anglais ont raison*, pensa-t-il. *Ce sont vraiment de petits oiseaux.*

Il arriva à l'édifice de l'Administration centrale où, comme tous les matins, il fut accueilli par le sergent Frank Gatenby, le « plus vieux sergent du Service ». Ce n'était pas tout à fait vrai : de nombreux sergents étaient plus âgés que lui, mais ses cheveux blancs et ses manières débonnaires, qu'il avait acquis avant d'avoir quarante ans, lui avaient valu ce titre. Il avait pendant longtemps été le « plus vieux constable du Service », puis quelqu'un, dans un sursaut de générosité, avait proposé son avancement, et il avait par la suite été nommé adjoint de Salter.

— Vous avez pas mal de choses au menu aujourd'hui, monsieur, annonça-t-il. Vous allez être plutôt occupé, on peut le dire.

Il arborait le sourire du maître d'hôtel s'adressant à son jeune maître.

Salter prit son courrier: faire le nécessaire pour nettoyer Yonge Street en vue de la visite du maire d'Amsterdam (*J'installerai une prostituée dans un fauteuil dans toutes les vitrines*, pensa-t-il. *Comme ça, monsieur le maire se sentira chez lui.*); rédiger un rapport sur l'impact des patrouilles à cheval dans les lieux publics en banlieue; inspecter les armureries pour s'assurer qu'elles ne vendaient pas de mitrailleuses aux mineurs; constituer une commission chargée d'étudier les plaintes au sujet de la cafétéria de la police; répondre à une demande de renseignements de la police de Montréal... Les broutilles habituelles.

Salter avait en effet été mis sur une voie de garage. En un an, perdant son influence au sein du Service, il était passé à l'état de non-personne, simplement parce qu'il avait soutenu le mauvais candidat au poste de chef adjoint et ce, avec trop d'enthousiasme et sans se soucier des conséquences. Trop jeune pour partir à la retraite comme l'avait fait son mentor, il était trop vieux pour changer de métier. Son avenir avait été dans le Service; et maintenant, il n'avait plus d'avenir.

Salter regarda le dernier point du programme du jour.

— Qu'est-ce que c'est que ça, Frank? De quel genre de renseignements ont-ils besoin, à Montréal?

— Comment savoir, monsieur? répondit Gatenby. Com-ment-sa-voir... répéta-t-il pensivement en détachant chaque syllabe, comme s'il parvenait au terme d'intenses cogitations métaphysiques qui l'avaient occupé toute la matinée. Ils ont appelé avant votre arrivée. Je venais moi-même d'arriver. Un homme a été trouvé mort à Montréal le week-end dernier. Un type de chez nous. Je veux dire de Toronto, pas un de nos gars. Il y a un sergent qui va se présenter après déjeuner, et Chieffie vous le confie.

Dans le langage enfantin de Gatenby, « Chieffie » désignait le chef de la police. Le chef adjoint, quant à lui, était surnommé « Deecee ».

—La journée est chargée, aujourd'hui, monsieur, et à mon avis, personne d'autre ne sera disponible.

Le sergent fit un sourire digne de l'invité d'une émission télévisée pour enfants.

—À quelle heure arrive-t-il ?

—À quatorze heures.

—Entendu. Dites à Chieffie que je m'en occupe. On ne sait jamais. Ça pourrait être un vrai travail…

—Chieffie a un conseil d'administration, monsieur. Je pense qu'il ne doutait pas que vous le prendriez en charge.

◆

Salter déjeunait toujours à l'extérieur. Il n'appréciait ni le menu ni la cohue de la cantine ; il pensait que c'était probablement la raison pour laquelle on lui avait confié la commission chargée d'étudier les plaintes. Ce jour-là, il traversa Yonge Street pour se rendre à une boutique qui vendait des journaux d'autres régions. Il acheta un exemplaire la dernière livraison de la *Montreal Gazette* et l'emporta dans un café réputé pour ses sandwiches au corned-beef. Il trouva ce qu'il cherchait en page trois : un petit article relatant la découverte d'un certain David

Summers, de Toronto, dans une chambre d'hôtel de Montréal. La victime avait le crâne fracturé. La police enquêtait. Un bon vieux meurtre à l'ancienne.

Sexe? Argent? Quoi d'autre, encore? Pourquoi les gars de Montréal avaient-ils déjà besoin d'aide? Il paya son déjeuner et se dirigea vers son bureau, qu'il finit par atteindre après avoir traversé de nombreux parcs de stationnement.

Gatenby vint à sa rencontre à la porte.

— Il est là, chuchota-t-il en effectuant une chorégraphie compliquée pour pointer le doigt par-dessus son épaule en direction du bureau.

Salter, résistant à la tentation de se mettre un doigt dans la bouche et d'écarquiller les yeux d'émerveillement, se contenta de passer devant le sergent et d'entrer dans son bureau, la main tendue. Gatenby trottait derrière lui.

— Voici l'inspecteur Salter, sergent, dit-il, caché derrière le coude de Salter. Quelqu'un veut une tasse de thé? du café? Non? Bon, je vous laisse discuter, alors.

Lorsque la porte se referma, les deux hommes s'assirent.

— Quelqu'un s'est fait tabasser, à ce qu'il paraît, commença Salter. Que peut-on faire pour vous?

— Je m'appelle O'Brien, inspecteur. Henri O'Brien.

— Excusez-moi. Bien sûr. Charlie Salter.

O'Brien sortit quelques documents d'une grande enveloppe.

— Nous aimerions que vous nous aidiez pour l'interrogatoire.

C'était un homme petit et soigné, de quelques années plus jeune que Salter, les cheveux coupés très court et le teint hâlé d'un bûcheron ou d'un marin. Il donna à Salter un document dont il garda un double.

— Regardons d'abord ça, sergent. Je ne sais rien de l'affaire. Dites-moi tout depuis le début.

O'Brien commença à lire ; il parlait anglais avec un léger accent.

— David Arthur Summers. Quarante-sept ans. Marié. Une fille. Professeur au Douglas College. A été découvert sans vie à l'hôtel Plaza del Oro le samedi 18 mai à 11 h du matin par la femme de chambre. Cause du décès : fracture du crâne, probablement causée par une bouteille de whisky trouvée par terre à proximité. La victime ne portait qu'un peignoir. Dans la pièce, on a trouvé ses vêtements en tas sur le sol, sa valise, qu'il n'avait pas encore défaite, la bouteille de whisky, presque vide, deux verres, dont l'un portant des traces de rouge à lèvres. Aucun signe de lutte. Le décès remontait à environ douze heures.

Salter n'écoutait pas. Il observait O'Brien : celui-ci lisait le rapport en français et le traduisait simultanément en anglais. Il se demandait s'il y avait ici, dans son service, quelqu'un qui était capable de faire ça. Son exemplaire à lui était en anglais.

O'Brien interrompit sa lecture. Un long silence suivit.

— Bien, dit Salter. Que savez-vous sur lui ?

— Sa femme est venue pour l'identification, répondit O'Brien. Elle nous a dit que Summers était à Montréal pour participer à un congrès. Celui-ci a commencé vendredi et devait se terminer mercredi. Selon elle, Summers et ses collègues assistaient à ce congrès chaque année à la même époque, à la fin du trimestre. Ça avait lieu chaque fois dans une ville différente ; ils en profitaient pour voir du pays. Un avant-goût de leurs longues vacances d'été, en quelque sorte.

Les deux détectives, qui avaient cinq semaines de congés payés chaque année, échangèrent un sourire.

O'Brien poursuivit :

— J'ai apporté sa déposition. Elle ne nous a pas été d'un grand secours. Elle ne voyait aucune raison pour laquelle on aurait voulu tuer son mari. Évidemment, on n'a pas pu pousser trop l'interrogatoire ; elle était terriblement bouleversée. Nous aimerions aussi que vous la rencontriez.

— D'accord. Il s'est fait dévaliser par une prostituée qu'il avait ramassée, c'est ça ? Le coup du blaireau. Comment est-ce qu'on appelle ça, en français ?

— Le coup du blaireau, inspecteur. Oui, mais son portefeuille était toujours dans son veston, et il contenait plus de cent dollars en argent liquide.

— Quelqu'un l'a dérangée, suggéra Salter.

— Nous connaissons la plupart des prostituées de Montréal, sauf les mineures. Nous sommes en train de faire des vérifications. À notre connaissance, il n'y a pas de tueuse parmi elles.

— Quelqu'un qu'il connaissait, alors. Une femme. Une *affair de cur**.

— Comment ?

— Vous savez bien, une affaire de cœur. Ça a l'air idiot, de dire ça en anglais. Le rouge à lèvres l'indique de façon assez évidente.

---

* NDT : Les mots en italique suivis d'un astérisque sont en français dans le texte.

—Les coups qu'il a reçus étaient violents. Le légiste a dit que l'agresseur devait avoir une certaine force physique.

—Elles pratiquent toutes les arts martiaux, de nos jours, sergent. Ma femme est capable de soulever l'extrémité d'une traverse de chemin de fer.

—Ah oui ? Mais est-ce que les professeurs d'anglais en viennent aux mains avec leurs maîtresses ?

—Quelle différence ça peut bien faire, qu'il enseigne l'anglais ou autre chose ?

—Les professeurs d'anglais canadiens-anglais, je veux dire, inspecteur. Même s'il était effectivement professeur d'anglais.

—Je vois.

Salter fit une pause. O'Brien avait introduit les relations Est-Ouest dans la discussion : *Vous, les Anglos, êtes un mystère pour nous autres, Québécois.*

—Je pense que les professeurs sont pareils partout, sergent. Après trois verres, ils sont capables de se casser la gueule entre eux. (*Va te faire foutre, froggie*, pensa-t-il.)

—Bien sûr. Excusez-moi. Mais votre sergent a dit qu'il avait entendu dire que nous avions un *crime de passion** pour lequel nous avions besoin d'aide. Il a dit qu'il croyait que ce genre de crime était permis au Québec. Je pensais qu'il plaisantait, peut-être même avec votre complicité.

—Frank est un trou de cul, O'Brien. C'est pour ça que c'est lui qui fait le café. Mais il est inoffensif. On ne se moque pas des étrangers, même quand ils sont Canadiens.

—Et vous, inspecteur ? Vous êtes au département des homicides ?

—Non. Je suis ce qu'on appelle le « service général ».

—Je vois.

O'Brien jeta un coup d'œil circulaire à la pièce que Salter partageait avec Gatenby, remarquant le bureau presque vide de l'inspecteur, l'absence de moquette sur le sol et le seul élément de décoration : une photographie découpée dans un journal, sur laquelle Gatenby salue d'une main tandis que, de l'autre, il tient la porte d'une limousine à un duc quelconque.

Salter pensa : *il croit qu'on nous l'a refilé, à Frank et moi, pour s'en débarrasser. Et il a raison.* Il dit d'une voix ferme :

—Vous avez demandé de l'aide pour les interrogatoires. Que pouvons-nous faire d'autre ? Nous renseigner sur Summers ? Je vais mettre Frank là-dessus.

—Vous pouvez faire plus que ça, inspecteur. Certains de nos séparatistes font du grabuge. On est débordés.

—Mais ils viennent juste de perdre le référendum !

—C'est exact, et ça les met en colère. Comme des supporters anglais de soccer quand leur équipe perd. Des Anglais d'Angleterre, je veux dire.

Et c'est reparti.

— Ou comme des supporters québécois de hockey quand Maurice Richard est suspendu, rétorqua Salter.

—C'est bon, inspecteur. Je m'en souviens, moi aussi. Bref, avec les séparatistes et une ou deux autres choses à régler, on n'a pas eu le temps de souffler depuis un mois. Nous n'avons donc pas beaucoup de temps pour des affaires comme celle-ci.

—D'ailleurs, c'est pas de chance qu'il soit venu se faire tuer à Montréal, non ?

—En effet. Ce que je crains, c'est de faire fausse route dès le début. Écoutez : cet homme, qui est venu pour un congrès avec ses collègues, est frappé par un ennemi, ou une maîtresse ou, peut-être, par une prostituée. Mais s'il s'agit de quelqu'un qu'il connaissait, un enquêteur stupide pourrait parler à cette personne sans se douter de rien. Il pourrait passer à côté de certaines indications. En résumé, voilà : je suis débordé et je suis francophone. Vous voyez ce que je veux dire ?

—Je vois. Vous n'avez pas l'expérience nécessaire pour démasquer les menteurs anglais. Vous voulez donc que je m'en charge.

—Oui. Si vous le pouvez.

O'Brien sourit :

—Pour moi, tous les Anglos sont des menteurs, risqua-t-il.

Salter se mit à rire.

—C'est exactement ce que ma femme a dit l'autre jour à propos des députés francophones qu'on voit à la télévision. Surtout les membres du Cabinet.

—Dites-lui de ma part qu'elle a raison ! On ne peut faire confiance à aucun francophone d'Ottawa…

Ils se sourirent un moment.

Salter finit par dire :

—Revenons à nos moutons, Henri. (Il prononçait *Honree*.) Ce que vous me demandez, c'est de prendre le relais dans l'enquête à partir de maintenant et de vous repasser les rênes dès que j'ai du nouveau.

—Si vous avez le temps et les effectifs nécessaires.

—Je dispose de Frank et de moi, ainsi que de tout le temps qu'il me faut. Bon, quoi d'autre ? Ah oui, la valise. Contenait-elle quelque chose d'inhabituel?

— Non, rien de particulier. Sous-vêtements, chemises, chaussettes, deux livres. Rien à quoi on ne puisse s'attendre.

— Et le portefeuille?

O'Brien lut la liste:

— Cent six dollars. Deux cartes de crédit. Deux cartes de bibliothèque. Permis de conduire. Quelques billets de loterie. Carte de membre d'un club de squash. Un morceau de papier sale sur lequel étaient inscrits quelques chiffres ressemblant à des numéros de téléphone, des relevés de carte de crédit. Tenez...

Il fouilla de nouveau dans l'enveloppe et en sortit le portefeuille.

— Vous devriez le prendre pour le montrer à sa femme quand vous lui parlerez.

Salter prit le portefeuille et le jeta dans un tiroir.

— Bon, voilà. Un café?

— Du thé, si ça ne vous dérange pas.

— Frank!

Salter passa la commande et attendit que la porte se referme.

— Si vous avez besoin de quoi que ce soit pendant votre séjour ici, n'hésitez pas, *Honree*. Vous connaissez Toronto?

— Pas très bien. J'ai pensé que je pourrais y passer quelques heures. J'ai une réservation pour le train de nuit, j'ai donc ma soirée de libre. Mais vous avez sans doute autre chose à faire! Indiquez-moi juste mon chemin et après, je vous laisserai résoudre mon affaire.

— Vous indiquer votre chemin? Pour aller où? Sherlock Holmes l'aurait deviné, lui. Le bronzage, la coupe de cheveux… quelle direction ça indique, ça ? Le port, pour un petit tour des îles en voilier ?

—Non. L'hippodrome de Greenwood. Je n'ai jamais été aux courses à Toronto.

Évidemment.

—Moi non plus. Aimeriez-vous que je vous accompagne ? Je me demande à quelle heure elles commencent.

—Sept heures trente.

—Ah bon. Dans ce cas, nous pouvons aller dîner quelque part et aller à l'hippodrome après.

—C'est parfait, inspecteur.

—Appelez-moi Charlie.

—C'est parfait, Charlie. Je pourrais aussi revenir vous prendre à, mettons, cinq heures trente. Nous pourrions ensuite aller dîner au champ de courses.

—Je ne sais pas s'il y a un restaurant là-bas, *Honree*.

O'Brien avait l'air renseigné.

—Il y a des restaurants dans tous les hippo-dromes. Je reviens à cinq heures et demie.

Il remit son enveloppe dans son porte-documents et serra la main de Salter.

Une fois la porte refermée derrière O'Brien, Salter appela sa femme :

—Je ne dînerai pas à la maison, ce soir, dit-il. Il se pourrait que j'aie un vrai travail.

—Fraude ? Incendie criminel ? Vol à main armée ? demanda Annie.

—Rien de tout ça. Meurtre.

—Et on te l'a confié !

—Le gars n'a pas été trucidé chez nous, alors Chieffie et Deecee ne lèvent pas le petit doigt. Mais ça me fait quand même un vrai travail !

— Alors, tu vas recommencer à sauter le dîner ? À travailler toute la nuit ?

— Je n'en suis pas encore là. Mais on ne sait jamais… ça pourrait venir. Je l'espère ! Ne m'attends pas pour aller te coucher. Pour commencer, je vais aux courses. Au revoir, chérie.

Il raccrocha, se sentant agréablement mystérieux.

◆

Lorsqu'il rentra à la maison, Annie l'attendait.

— Tu as l'air content de toi, dit-elle. Tu as gagné ?

— Je n'ai pas perdu, répondit-il sur un ton suffisant, attendant la question suivante.

— Combien ?

— Pas mal, lâcha-t-il, arborant l'air faussement blasé d'un habitué des champs de courses.

— Ça t'a plu ?

— C'était génial ! Tu veux que je te raconte ?

— Bien sûr. Je vais faire du thé.

Qu'est-ce qui lui arrive ? se demanda Salter. *Elle est bizarre.*

— Qu'est-ce qu'il y a ? lui demanda-t-il brutalement. Tu es jalouse parce que j'ai passé la nuit dehors ?

— Ne fais pas l'idiot, Charlie. Raconte-moi donc ta soirée. Que s'est-il passé ?

Fausse alerte, pensa-t-il, baissant la garde. Son humeur euphorique reprit le dessus.

— Alors, voilà, commença-t-il. C'étaient des courses attelées, tu sais, avec des chars…

Elle hocha la tête, avec un regard de petite fille émerveillée.

— Il y a deux types de chevaux : les trotteurs et les ambleurs. Tu savais ça, toi ? Les trotteurs ne courent pas comme les ambleurs.

— Ils trottent, peut-être ?

Mais bon sang, que se passait-il ?

— Oui, c'est ça. Lorsqu'ils courent, leurs membres oscillent par paires croisées, alors que les ambleurs déplacent les pattes du même côté en même temps. À moins que ce ne soit l'inverse… Je n'ai pas vraiment pu voir la différence, même après qu'on m'a expliqué. En tout cas, c'est beau à voir, quand les lumières s'allument et qu'ils arrivent…

— Tu as parié sur toutes les courses ?

— Oui. *Honree* m'a tout expliqué…

— *Honree* ?

— C'est le Québécois qui est venu me parler de l'affaire de meurtre. J'ai quand même choisi moi-même mes chevaux. J'ai pris ceux dont le nom me plaisait. Le problème, c'est que la moitié d'entre eux semblaient s'appeler pareil, avec des noms comme Armbro ou Hanover ou je ne sais quoi, encore. Enfin bref, j'ai parié sur sept courses, et j'ai gagné cent vingt dollars. *Honree* en a perdu cinquante, en pariant d'après les pronostics. Aaaah ! C'était super. J'ai failli gagner sur la huitième course, mais mon cheval s'est mis à courir comme il ne fallait pas. Il y a un verbe, pour ça…

— Il s'est enlevé.

— Quoi ?

— Quand un trotteur quitte le trot pour prendre le galop pendant une course de trot, on dit qu'il s'enlève.

— Comment tu sais ça, toi ?

— On utilise le même terme à l'île.

Salter était abasourdi.

— Tu veux dire que les courses de Charlottetown, c'est la même chose ?

— Tout juste, Charlie. Ces courses auxquelles nous essayons de t'emmener depuis quinze ans. Le trot attelé, comme on les appelle. Papa possédait un *standardbred* – c'est le nom qu'on donne à ce type de chevaux. Tu as refusé de t'y intéresser pendant tout ce temps, mais il suffit qu'un policier de Montréal arrive, et te voilà qui racontes au monde entier ta découverte ! Charlie, tu dépasses les bornes.

Elle le contourna et monta se coucher.

Quelques minutes plus tard, Salter avait trouvé suffisamment de justifications pour ne plus se sentir aussi mal. Sans doute personne n'avait plus parlé de chevaux chez les Montagu depuis des années (exact, mais c'était uniquement par égard pour lui). Certainement, personne n'avait pris la peine de lui expliquer les courses dernièrement (impossible à faire, devant son air buté). La vérité, c'était que cette histoire de course de chevaux n'était qu'un exemple, peut-être le plus choquant, de l'attitude de Salter à l'égard de l'univers des Montagu lorsqu'il était chez eux. Dès le début, de peur de se sentir comme un parent pauvre, il avait refusé de se laisser entraîner dans des activités comme la voile, le bridge, le tennis, la pêche à la mouche, l'art de cuisiner des palourdes sur un feu de camp. Outre les connaissances nécessaires à ce genre de loisirs, il était sûr de se tromper de tenue vestimentaire, de mettre des sandales au lieu des chaussures de marche ou même de rester pieds nus lorsqu'il ne le fallait pas. En conséquence, quand il était à l'île, il jouait au golf, jeu auquel il avait été initié par des copains policiers. Il nageait, aussi. Et il regardait les autres activités de loin, lorsqu'il ne les ignorait pas tout bonnement. Au fil des années, sa mauvaise volonté et la prévenance des Montagu envers lui avaient entraîné la création de deux mondes : un dans lequel il était inclus et un autre duquel ils ne parlaient et ne profitaient qu'entre eux. Cette situation lui convenait. Un tel arrangement lui permettait de conserver ce qu'il considérait comme son indépendance et il adoptait la même attitude à Toronto, à l'égard de l'intérêt que portait sa femme à l'art, à l'horticulture et à la science-fiction et de ses connaissances dans ces domaines. Le comportement de Salter lui était dicté par une relative sincérité. Son père, lui, n'avait jamais goûté à aucun mets nouveau en trente ans, que ce fût chez lui ou au restaurant, sous prétexte que c'étaient des cochonneries étrangères et qu'on ne pouvait pas savoir ce qu'il y avait dedans. En réalité, le vieil homme avait peur qu'on se moque de lui parce qu'il ne savait pas comment cela se mangeait.

L'attitude de Salter n'était pas sans dangers, dont le plus périlleux venait de lui être démontré. Lorsqu'il se découvrait une nouvelle passion, il ne pouvait jamais être sûr que sa femme n'avait pas tenté de l'y intéresser dix ans auparavant. La science-fiction lui était désormais interdite ; il y avait si longtemps qu'Annie lui en avait recommandé la lecture qu'il n'avait aucune idée de ses auteurs préférés. Il avait un jour décrété que ce genre littéraire l'ennuierait et maintenant qu'il n'en était plus aussi sûr, il était trop tard.

Mais les courses attelées… Bon Dieu ! Petit à petit, des bribes de choses vues ou entendues et

qu'il avait ignorées avec le temps lui revenaient en
mémoire et la vérité finit par s'imposer à lui : les
courses attelées étaient le passe-temps le plus répandu dans les Maritimes et les Montagu occupaient
une place de premier plan dans ce sport. *Et merde!*
pensa-t-il. Pendant une demi-heure encore, il balança entre l'envie de se justifier et la culpabilité,
jusqu'à ce qu'il aille se coucher, en proie à une profonde détresse.

CHAPITRE 2

Le lendemain matin, Salter appela le directeur du Département d'anglais du Douglas College pour organiser quelques entrevues. Il était souvent passé devant le collège sur ses trajets entre son bureau et le centre-ville : il avait le vague souvenir de deux ou trois entrepôts reconvertis, de quelques édifices de verre étincelants et d'une fontaine. Il avait établi que le Département d'anglais se trouvait dans l'une des boîtes de verre et quitta son bureau avec une confortable avance. Il voulait jeter un coup d'œil à la portion sordide de Yonge Street (la partie qu'il préférait) pour voir ce qui pourrait y être « nettoyé » pour la visite du maire d'Amsterdam. *Qu'est-ce que je suis censé faire ?* se demanda-t-il en voyant çà et là, comme chaque matin, les paumés, les adolescents sans foyers et les gays aux manières affectées pour qui cette portion de rue était leur chez-soi. *Réquisitionner quelques centaines de flics en repos et leur demander d'arpenter les trottoirs au bras de leurs femmes, comme de bons bourgeois de Toronto ? Bon sang, que peut bien signifier « nettoyer » ?* Ce serait assez facile de contourner le problème et d'emmener le visiteur faire un tour du côté de Yorkville – Salter avait lu dans le journal que les gens présentables s'y agglutinaient pour se montrer –, mais le maire d'Amsterdam avait tout spécialement demandé à voir Yonge Street parce que c'était la seule rue dont il avait entendu parler. Salter se promit de recommander qu'on l'y conduise à l'heure du déjeuner, où la rue serait remplie d'employés de bureau.

Les bâtiments du Douglas College apparurent plus tôt qu'il ne s'y attendait, au moment où il était en train de les chercher, et Salter prit conscience que le collège était bien plus grand qu'il ne l'avait pensé. C'était une période creuse de l'année universitaire, entre les examens et la cérémonie de remise des diplômes, et seule une poignée d'étudiants se trouvait sur le campus. Les trois premiers qu'il interrogea n'avaient aucune idée de l'endroit où se situait le Département d'anglais, mais il finit par en intercepter un qui le dirigea vers le bon édifice. Salter franchit à grand-peine deux portes de verre apparemment conçues pour protéger l'entrée d'une tombe et se retrouva dans un hall caractéristique d'un établissement scolaire à la fin d'un trimestre. Tous les murs étaient recouverts d'affiches annonçant les concerts, conférences et soirées dansantes de la dernière semaine ainsi que les réunions mensuelles du club de taekwondo. On se serait cru au lendemain des soldes d'après-Noël.

Dans un coin du hall, un agent de sécurité était en train de parler dans une petite boîte de plastique qu'il tenait près de sa bouche. Salter dut attendre qu'il ait fini sa conversation, manifestement avec un collègue assis ailleurs à un autre bureau, sur la nécessité de veiller à ce qu'un certain Wong fasse sa part du travail…

—J'ai dit à Teperman la semaine dernière : comme ça se fait que Wong est toujours de jour et qu'Eddie et moi on est de nuit ? Il a dit que la femme de Wong était en cloque, c'est ça qu'il a dit. Faut qu'il reste à la maison la nuit. J'ai dit, comment tu sais si ma bourgeoise est pas en cloque, elle aussi ? Ou celle d'Eddie ? Tu sais pas ce qu'il a dit ? T'es pas marié, qu'il a dit. Alors j'ai dit qu'il y avait pas besoin d'être marié pour être en cloque. De nos jours, on a le droit de vivre en concubinage. Il m'a dit : t'es en concubinage ? J'ai dit que non, mais je pourrais, non ? Tu m'as jamais demandé, mais tu crois tout ce que ce salaud de Wong te raconte. C'est vrai, Eddie. Je t'assure. Wong a tout ce qu'il veut et c'est à toi et moi de se taper le sale boulot. Tu le sais, ça ?

En entendant cela, Salter pensa une fois encore aux milliers d'agents de sécurité qui étaient apparus brusquement à Toronto au cours des dix dernières années. Y aurait-il du travail pour lui dans ce domaine si d'aventure il en avait plus que ras le bol de faire le garçon de courses ? Le gardien finit par le remarquer et interrompit sa conversation avec Eddie, le temps de le diriger vers un ascenseur. Salter monta jusqu'au quatrième étage, où il arriva dans un couloir désert. Il y avait aussi des tableaux d'affichage, mais là, la plupart des messages portaient sur les événements littéraires et pièces de théâtre qui s'étaient tenus pendant le trimestre. Une petite annonce dactylographiée proposait : « À vendre : un recueil complet de textes pour le cours Anglais 022. Jamais ouvert. » Sur une grande affiche étaient

imprimés en noir sur fond gris, sans autre expli-
cation, les mots suivants : « La date limite a été
modifiée et reportée au 28. » Au-dessous, quelqu'un
avait écrit au crayon : « Je ne me sens pas mieux
pour autant. »

Salter scruta les couloirs qui partaient de l'ascenseur à angle droit, un à gauche et l'autre en
face, se demandant dans quelle direction il devait
aller. Les deux donnaient l'impression d'avoir été
vandalisés pendant la nuit. Des monceaux de papiers
jonchaient le sol un peu partout, concentrés en amas
aux alentours des portes des bureaux, mais aussi
disséminés le long des murs. Une certaine quantité
en avait été grossièrement rassemblée dans des boîtes
en carton empilées côte à côte, manifestement dans
une première tentative de nettoyage. Salter finit par
se rendre compte que ces papiers étaient des rédac-
tions d'anglais qui attendaient d'être ramassées par
les étudiants mais, ne parvenant pas à se défaire de sa
première impression, il conserva le sentiment d'avoir
débouché dans une ruelle servant de dépotoir au
département.

Il choisit le couloir qui partait sur la gauche et le
parcourut en lisant les noms inscrits sur les portes.
Au moment où il prit un virage, il faillit tomber sur
une jeune fille assise devant une machine à écrire,
à qui il demanda où était le bureau du directeur du
département. Elle lui désigna un bureau en coin, le
seul, jusque-là, dont Salter avait vu la porte ouverte.
Là, une secrétaire le conduisit à la porte d'un autre
bureau situé à l'intérieur dont la porte s'ouvrit à leur
arrivée, et un homme corpulent et souriant l'invita
à entrer.

Hector Browne, directeur du Département d'anglais du Douglas College, était un personnage replet

et élégant. Bien qu'il pesât, selon les estimations de Salter, dans les quatre-vingt-quinze kilos, il n'avait rien d'un gros lard. Sa veste de daim bleu, son pantalon de flanelle grise et ses mocassins foncés, impeccablement cirés, étaient immaculés, et la chemise caramel en lin épais dont le col était ouvert complétait l'impression d'une apparence soigneusement calculée. Salter trouvait l'effet général très plaisant, un peu comme entrer dans un salon bien tenu. L'édifice étant neuf, le bureau de Browne était l'habituel cube de béton et de verre, mais l'occupant avait fait de son mieux pour lui donner un peu de chaleur en y exposant des agrandissements de photos de portraits qui paraissaient légèrement familiers.

Le directeur l'accompagna vers un canapé où il s'assit avec lui.

— C'est à propos de Summers, n'est-ce pas, inspecteur? avança-t-il.

— Oui. Juste quelques questions sur ce qu'il faisait à Montréal et qui l'accompagnait.

— Nous avons tous été bouleversés ici, je peux vous le dire. Je n'étais pas spécialement proche de David, mais on ne peut pas rester insensible, n'est-ce pas? C'est intéressant de voir comme les clichés reprennent leurs droits dans les grandes occasions, vous ne trouvez pas?

— Oui, approuva Salter. Si vous n'étiez pas proche de lui, professeur… monsieur… Comment dois-je vous appeler? Directeur?

— Non, non, pas «directeur». Ça fait un peu intouchable, non? «Monsieur» me va très bien. De fait, je suis bien professeur, mais c'est le cas de tout le monde par ici, alors nous n'utilisons pas beaucoup le titre, sauf sur les passeports et autres documents de ce genre. C'est très utile pour passer la douane luxembourgeoise. Pour les réservations d'hôtels, toutefois, « docteur » est bien mieux, si tant est que vous soyez effectivement docteur, comme Stephen Leacock le faisait remarquer. Idéalement, bien sûr, il est préférable d'avoir un nom qui retient l'attention, comme Rockefeller.

— Summers était professeur ?

— Nous le sommes tous, comme je vous le disais. Connaissez-vous un peu Douglas College, inspecteur ?

— Non, pas du tout, monsieur. Vous pourriez peut-être me tuyauter.

Browne se pencha en arrière et joignit ses doigts dans une parodie de pose. Il commença sur un ton doctoral, avec suffisamment d'exagération pour montrer qu'il ne fallait pas le prendre trop au sérieux. Toutefois, à mesure qu'il parlait, il devenait manifeste que, l'entraînement aidant, il croyait à ce qu'il disait.

— Douglas College, dit-il, fut créé dans les années soixante pour répondre à l'explosion de la demande en éducation supérieure, demande que les électeurs, à ce qu'en déchiffraient les politiciens, souhaitaient voir satisfaite. Pendant une courte période, unique dans l'histoire de l'Ontario – à mon échelle, en tout cas –, l'éducation eut la faveur des politiciens. C'était une époque durant laquelle les politiciens ontariens ambitieux briguaient le très prisé portefeuille de l'Éducation, qui disposait de l'un des plus gros budgets et offrait beaucoup d'occasions de faire la une des journaux. À ce moment-là, le programme d'étude des écoles secondaires fut entièrement refait – détruit, diraient certains –, car le mot à la mode était que les écoles n'enseignaient pas des matières mais aux élèves. Les établissements scolaires sont devenus centrés sur la personne. Avez-vous des enfants, inspecteur ?

—J'ai deux garçons, monsieur Browne, mais ils vont à l'école privée.

—Alors, vous avez un alibi, si je peux me permettre ce jeu de mots, inspecteur. Vous n'avez jamais eu à traiter avec le système. Toutefois, laissez-moi poursuivre. Toutes les matières ont été restructurées : en anglais, la « création littéraire » a remplacé l'étude de la grammaire ; dans les universités, l'explosion de la population estudiantine a coïncidé avec l'avènement du mouvement activiste, et les étudiants ont revendiqué le droit d'étudier ce qu'ils aimaient. Cela leur fut instantanément accordé, comme toutes leurs autres revendications. Mais revenons à nos moutons. Pour satisfaire les hordes d'électeurs potentiels qui exigeaient un accès à l'enseignement supérieur, ou « complémentaire » comme on disait de plus en plus souvent, des dizaines de nouveaux collèges et quasi-collèges ont été créés. Ces établissements délivraient de nouvelles sortes de grades, diplômes et certificats dans un grand nombre de nouvelles « disciplines » telles que la photographie artistique, l'équitation et le jardinage. Les universités anciennes ont commencé par accueillir ces nouveaux établissements. Comme me l'a dit un professeur qui enseigne chez notre rival, de l'autre côté de la rue (Browne pointa le doigt avec affectation dans la direction en question), quand j'ai accepté ce poste, « Nous espérons que vous prendrez tous les étudiants dont nous ne voulons pas. » Mais immanquablement, le baby-boom s'est calmé et tous les établissements d'enseignement complémentaire, nouveaux et anciens, ont commencé à se disputer les étudiants.

Les établissements anciens se sont alarmés parce que la plupart des étudiants de la génération suivante ont de fait choisi de venir chez nous, bien qu'ils eussent été acceptés de l'autre côté de la rue. L'establishment s'est empressé de se protéger. Ils ont commencé par assouplir leurs critères d'admission bien qu'ils s'en soient défendus avec véhémence, puis ils se sont arrangés pour empêcher les parvenus de les concurrencer dans leurs propres programmes. Mais c'était trop tard. Beaucoup de nouveaux établissements ont laissé des plumes dans la lutte qui a suivi, mais la plupart ont survécu et certains ont même prospéré. Contrairement à la tendance, leurs admissions ont augmenté et, dans certains domaines, ils se sont posés en égaux de leurs institutions sœurs. En un mot, ils sont devenus respectables. Pour en revenir à mon sujet, Douglas College est un exemple remarquable. Nous avons été parmi les premiers des nouveaux collèges et nous avons bénéficié d'un recteur ambitieux, d'un emplacement au centre-ville et d'assez de temps pour prendre notre part du gâteau avant que personne s'en rende compte. Nous avons aujourd'hui dix mille étudiants, des programmes qui n'acceptent qu'un candidat admissible sur quatre, nos propres diplômes, un cercle des professeurs et une association des anciens. Et nous avons aussi des professeurs permanents, comme David Summers.

Browne en avait terminé. Salter avait envie d'applaudir, mais il avait du travail.

—Merci, dit-il. Venons-en maintenant au professeur Summers. Si vous n'étiez pas très proche de lui, qui l'était ?

Browne battit l'air de ses bras et se plongea dans une profonde réflexion.

—Bonne question. Pollock, bien sûr. En dehors de lui, deux des personnes qui étaient avec lui à Montréal, Carrier et Usher et, ah oui ! Marika. Marika Tils. Ils étaient tous ensemble la veille du drame.

—Et ses ennemis ?

—Personne qui serait allé jusqu'à le tuer, inspecteur. Rien que des petites chamailleries de professeurs.

—Je ne vous ai pas demandé de me donner le nom du meurtrier, professeur… pardon… monsieur Browne. Mais un ennemi me dirait des choses qu'un ami ne verrait pas.

—« Dis-moi qui tu fréquentes, je te dirai qui tu es, mais connaître tes ennemis me facilitera la tâche », hein, inspecteur ? Il y avait quelques personnes qui n'aimaient pas David. Il ne me plaisait pas particulièrement, à moi, bien que ces derniers temps il fût plus détendu, d'une compagnie plus agréable.

—Y a-t-il quelqu'un qui le détestait vraiment ?

—Cette conversation est-elle totalement confidentielle ? Dans ce cas, Dunkley est votre homme. Il était à Montréal, lui aussi. Ils ne pouvaient tout simplement pas se sentir. Ils étaient en froid depuis longtemps, à tel point qu'il était impossible de les faire siéger au même comité. Ils se tapaient mutuellement sur les nerfs.

Plus son vocabulaire devenait argotique, plus Browne se penchait en avant, un large sourire sur les lèvres.

—« En froid depuis longtemps ». Quelle en était la raison ?

—Ça a commencé avant mon arrivée. Je suis ici depuis dix ans, mais Summers et Dunkley, avec quelques autres, sont arrivés il y a vingt ans. À cette époque, ces deux-là étaient chacun d'un côté de la barrière et ils ne se le sont jamais pardonné. J'en ai entendu parler assez souvent, mais je n'ai jamais su ce qu'il y avait vraiment derrière. Je doute que quelqu'un puisse vous dire aujourd'hui ce qui s'est passé, à supposer qu'il se soit passé quelque chose. C'est comme une querelle de voisinage qui dégénère en vendetta. On les tenait donc à distance l'un de l'autre et ils ne parlaient jamais l'un de l'autre, même à leurs copains. C'est comme s'ils connaissaient un épouvantable secret qui les séparait tout en établissant entre eux un lien silencieux, si vous voyez ce que je veux dire. Un thème digne d'un récit de Conrad.

Browne désigna l'un des imposants portraits, celui d'un homme barbu d'âge mûr.

— Conrad?

— Joseph Conrad, le romancier, inspecteur. C'est lui, sur ce portrait.

— Je sais qui est Joseph Conrad, monsieur Browne. Je voulais dire: quel roman de Conrad? J'en ai lu quelques-uns.

En fait, Salter n'en avait lu qu'un, dans lequel il était question de quelqu'un qui était embarqué sur un bateau.

— Vraiment? Pas trop, j'espère. Ils ont des effets pervers. En fait, je voulais dire que ça ressemblait à une histoire de Conrad. Un zeste de Marlow et Kurtz ou du *compagnon secret*. Du genre « lui et moi savons quelque chose dont nous ne devons jamais parler entre nous ».

— Je vois. Une histoire que Conrad n'a jamais écrite.

—Non, au contraire : celle qu'il n'a jamais cessé d'écrire. Je vous en prie, ne prenez pas ce que je dis au pied de la lettre. Je ne crois pas vraiment qu'il y ait eu un horrible secret entre eux. Mais voilà comment on en arrive à penser après avoir passé des années à essayer de trouver des analogies utiles aux étudiants de première année.

Le téléphone sonna et Browne répondit.

—Oui, ma chérie… Je n'ai pas oublié… Oui, ma chérie… J'en achèterai chez Cakemaster.

Il raccrocha.

—Ma femme, expliqua-t-il. Elle me rappelait que c'est l'anniversaire d'une de mes filles. Il faut que j'achète le gâteau. Vous pensiez que j'étais célibataire ? Je baigne dans les délices de la soumission domestique, inspecteur. J'ai six filles, une de plus que monsieur Bennet. Vous pensiez que j'étais célibataire parce que je continue de cirer mes chaussures ? Vous savez, il est possible de se maintenir à niveau même dans les liens du mariage. C'est Conrad qui me l'a appris.

Browne passait un bon moment.

—Plus rien ne me surprend, répliqua Salter. Vous voyez ? Encore un cliché. Bon, où puis-je trouver toutes ces personnes ? Carrier ou Usher en premier, je pense.

—Ils vous attendent. Je vous ai organisé des entrevues avec tous ceux qui étaient à Montréal avec David. Ils sont bouleversés, mais vous êtes habitués, je suppose. Marika, elle, est accablée de douleur.

—Et son copain, Hillock ?

—Pollock. Il est là, lui aussi.

Browne se leva d'un petit bond et commença à s'affairer.

— Bon, je ne peux pas vous proposer de déjeuner avec moi, j'apporte toujours le mien.

— Régime ? demanda grossièrement Salter, curieux de savoir ce qui maintenait cet homme rayonnant en forme.

— Encore faux. Je m'aime comme je suis. Ma femme aussi. Vous voyez ?

Il ouvrit le sac de papier brun : à l'intérieur, se trouvaient quatre beignets à la confiture et un demi-litre de lait au chocolat.

— Je les achète en venant au collège et, toute la matinée, j'attends avec impatience le moment de les déguster. Je ne quitte pas mon bureau, pour le cas où vous auriez besoin de moi.

— Allez-vous assister aux obsèques ?

— Oui. Vous y serez ?

— J'y compte bien, monsieur. Le meurtrier finit toujours par réapparaître, n'est-ce pas ?

— Ha, ha, ha. J'y suis. Encore un cliché.

— Voudriez-vous avoir l'obligeance de ne pas divulguer la teneur de notre conversation, monsieur Browne ? Et essayez de mettre un terme aux spéculations dans le département.

— Motus et bouche cousue, inspecteur. Bonne chance.

Browne eut l'air triste pendant un moment.

— J'espère que c'est l'œuvre d'une brute de passage et non de quelqu'un qu'on connaît.

Sa voix tremblait légèrement. C'était grâce à sa joie de vivre que Browne gardait l'horreur à une distance respectable.

— C'est généralement le cas, monsieur, affirma Salter, résistant à une envie fugace de lui donner une petite tape sur l'épaule. Au revoir.

◆

Carrier était le suivant. Il resta à son bureau sans dire un mot tandis que Salter s'asseyait sur une chaise en face de lui. C'était un homme soigné, d'à peine plus de quarante ans et dont les cheveux blonds commençaient à être clairsemés. Il portait une chemise sport à carreaux et un pantalon kaki. À côté de lui, sur une petite table, se trouvaient une théière et une tasse ainsi qu'un paquet de biscuits Peek Frean. Au mur, trois sous-verres donnaient l'impression d'une trilogie, bien que leurs thèmes ne semblassent pas liés, d'après ce que Salter en voyait. L'un était le portrait d'un délicat jeune homme dont les poignets étaient ornés de dentelles, probablement Shelley ou quelqu'un de ce genre. Le deuxième était la reproduction d'une page d'écriture, peut-être le plus vieux livre du monde ? Et le troisième lui était familier : il s'agissait d'une affiche annonçant une exposition dans une galerie d'art, sur laquelle se trouvait la reproduction d'un tableau représentant une nappe à carreaux rouges. Quelle chance, se dit Salter, heureux de reconnaître la seule toile canadienne qu'il ait jamais vue de près. L'original appartenait à des amis cultivés de sa femme ; Salter l'avait souvent étudiée et avait renoncé à trouver la raison de sa valeur tant artistique que monétaire, cette dernière étant d'ailleurs grande. Il se présenta et désigna l'affiche :

— Avez-vous suivi la carrière de Niverville, professeur Carrier ? s'enquit-il, d'un connaisseur à un autre.

— Oui, répondit Carrier.

—C'est un peintre intéressant, déclara Salter, qui essayait de se souvenir de quelque chose sur Niverville.

—Oui, répliqua encore Carrier.

Assez parlé d'art, cette clé qui ouvre toutes les portes, pensa Salter.

—Bon. J'aimerais vous poser quelques questions sur le professeur Summers. Tout d'abord, je voudrais que vous me racontiez ce qui s'est passé quand vous étiez tous ensemble jeudi. Vous avez dîné avec le professeur Summers, je crois. Qui d'autre était là ?

—Usher, Dunkley, Marika Tils et moi. C'est tout. Il ne s'est rien passé. On a juste dîné.

—N'était-il pas inhabituel, professeur, que Summers et Dunkley dînent ensemble ?

—Oui, ça l'était.

Il y eut une longue pause.

—Eh bien ? demanda Salter.

—Oui, c'était inhabituel.

—Alors, pourquoi étaient-ils à la même table ?

—Nous y étions tous.

—C'est bien ce que vous avez dit. Mais normalement, Dunkley et Summers s'évitaient.

—Oui.

—Mais pas cette fois.

—Non.

Bon Dieu.

—Monsieur Carrier, j'essaie de trouver un meurtrier et je serais heureux qu'on m'aide. Pouvez-vous m'expliquer, s'il vous plaît, pourquoi, ce soir-là précisément, ces deux vieux ennemis étaient ensemble ?

—Summers l'avait invité avec nous.

—Ah. Pourquoi ?

Tu peux peut-être me proposer une interpré-
tation ? Creuse-toi tes belles méninges bien huilées
et savantes.

— Il disait que c'était sa soirée. Il a annoncé qu'il
avait eu un coup de chance et il a insisté pour que
nous sortions tous dîner. Dunkley y compris.

— Que voulait-il dire par « coup de chance » ?

— Je l'ignore.

— Il ne l'a précisé à aucun moment ?

— Non. Il semblait seulement très heureux.

— Je vois. Il a seulement dit : « J'ai eu un coup
de chance. C'est ma tournée » ?

— Je ne me rappelle pas exactement ses mots.
Nous étions tous en train de prendre un verre au bar
après la dernière communication.

— Vous tous, y compris Dunkley ?

— Oui. Dunkley venait de lire un papier.

— Lire un papier ?

— Oui, sur les épithètes favorites de la poésie de
John Clare.

— Je vois. Lire devant d'autres personnes, vous
voulez dire. Donner une conférence, en quelque sorte.

— C'est ça.

— Et c'est là que Summers a fait son invitation.

— Oui.

— Et personne n'a demandé de quoi il retournait ?

— Oh oui, nous le lui avons tous demandé. Mais
il ne voulait rien nous révéler. Il disait qu'il nous en
parlerait plus tard.

— Bon dîner ?

Salter connaissait la réponse, mais il était curieux
de savoir combien de temps ça lui prendrait pour
faire parler ce salopard.

— Je vous demande pardon ?

— Vous a-t-il offert un bon dîner ?

C'est clair, comme ça ?

— Oui. Nous sommes allés à la Maison Victor Hugo. Je ne me rappelle pas ce que j'ai pris, mais c'était délicieux.

— Avez-vous vu l'addition ?

— Oui.

Dans une minute, pensa Salter, *je vais ramener ce putain de bavard au bureau et lui coller le plus vieux sergent du Service sur le dos. Gatenby se ferait un plaisir de lui poser les quatre cents questions qu'il appelle « interrogatoire » et avec un abruti pareil, ça marcherait.* Il dit tout haut :

— Elle montait à combien ?

— Je ne sais pas exactement.

— Grosso modo. Donnez-moi un ordre de grandeur.

— Environ cent trente dollars. Plus le pourboire, bien sûr.

— Comptant ou avec une carte ? demanda Salter, qui avait déjà vu le reçu.

— Il a utilisé une carte Visa.

— Et après ?

— Au bout d'un moment, nous sommes retournés à nos chambres.

— Où êtes-vous allés en premier ?

— Marika est rentrée directement à son hôtel. Il était à peu près neuf heures. Nous avons alors marché un peu, puis Summers nous a quittés. Ensuite, Usher, Dunkley et moi sommes allés prendre un autre verre et nous sommes rentrés à pied à l'hôtel.

— Vous étiez tous au même hôtel ?

— Oui. L'hôtel Esmeralda.

— Mais Summers était à l'hôtel Plaza del Oro ou quelque chose de ce genre ?

— Oui. Mais le reste du groupe était à l'Esmeralda.

— Et vous êtes tous allés au lit.

— Oui.

— Et vous ne vous êtes ni vus ni entendus jus-qu'au petit déjeuner, le lendemain matin?

— J'ai vu Dunkley, bien sûr.

— Pourquoi «bien sûr»?

— Nous partagions la même chambre.

— Je vois. C'est merveilleux. Vous avez tous les deux un alibi.

— Je trouve votre remarque ridicule et extrê-mement déplaisante, inspecteur, lança Carrier, se mettant brusquement en colère.

— C'est pourtant vrai, n'est-ce pas? Et Usher?

— Il partageait une chambre avec un de ses amis venant d'une autre université.

— Et Marika Tils?

— Elle avait une chambre à elle toute seule.

— Je vois. Eh bien, il semble que ce soit tout ce que vous sachiez, n'est-ce pas? Encore une ou deux petites choses. Aviez-vous bu?

— Bu?

— Oui, étiez-vous paquetés, soûls, ronds, que sais-je encore? Je ne connais pas le terme universitaire.

— On a pris beaucoup de vin. Mais je n'étais pas soûl.

Carrier bouillait encore de rage.

— Et qui l'était?

— Summers a bu beaucoup plus que nous tous. Il titubait un peu.

— Finalement, donc, vous ne savez pas pour quelle raison Summers faisait la fête?

— J'ai eu l'impression qu'il y avait plus d'une raison. «Tout marche comme sur des roulettes», a-t-il dit à un moment donné.

—Pouvait-il y avoir un lien avec une femme?

—Que voulez-vous dire?

—Pouvait-il être amoureux, disons?

—Je ne vois pas pourquoi ça lui aurait donné envie de nous payer à tous le dîner.

Salter soupira.

—Moi non plus. Mais les hommes d'âge mûr, comme nous, professeur, font parfois des choses étranges, dit-on. Merci. Ne quittez pas la ville sans m'en avertir, entendu? Et ne parlez de cette affaire à personne, tout particulièrement à ceux qui étaient avec vous vendredi soir.

—Est-ce que vous me suspectez, inspecteur?

—À ce stade, professeur, nous nous efforçons de n'écarter aucune hypothèse.

◆

Salter parcourut le couloir jusqu'à ce qu'il trouve le bureau d'Usher. Il se demandait si tous les témoins qu'il allait interroger seraient aussi coincés, mais dès qu'il vit Usher, il fut soulagé. La porte lui fut ouverte par un petit homme au teint basané et doté d'un système pileux si abondant que seuls le front et le nez en émergeaient.

—Entrez, entrez, inspecteur. C'est parti! Asseyez-vous ici. Une tasse de thé? Si on était à Oxford, on pourrait avoir du sherry, mais il faut faire avec les moyens du bord.

Usher était un stentor; sa voix puissante évoquait un téléviseur réglé pour durs d'oreille. Il avait un accent ouvrier britannique, pas tout à fait cockney car il accentuait fortement les « h », mais à part cela, typiquement « commun », selon les critères des Britanniques. Tandis qu'il mettait Salter à l'aise, il se déplaçait dans son bureau à grandes enjambées sans que ses pieds semblassent quitter le sol ; il remit une chaise en place, aligna un cendrier, débarrassa un coin de bureau pour que Salter puisse écrire, puis finit par s'asseoir, le tout en parlant d'une voix forte et en souriant à travers sa barbe, où une énorme rangée de dents jaunes s'épanouissait comme un croissant de lune.

— Vous êtes bien installé, inspecteur ? Ce soleil ne vous gêne pas ? Déplacez votre chaise un peu par ici. Allez-y. C'est bien. Vous voulez quelque chose pour écrire ? Prendre ma déposition ? (Il rit.) Non ? Tout va bien, vous êtes sûr ? Bon. On peut y aller, dans ce cas.

Lorsqu'il se fut calmé, Salter lui demanda :

— Professeur Usher ?

— Oui, c'est ça. Mon nom est sur la porte. Vous fumez ? Ne vous gênez pas pour moi. Je ne fume pas. Mes enfants ne me le permettraient pas. (Il rit de nouveau.) C'est terrible, hein ? Mais ça ne me gêne vraiment pas que vous fumiez. La fumée ne viendra pas par ici. Non. Je suppose que vous autres, les gars, vous arrêtez comme tout le monde. C'est drôle comme ça a changé. À une époque, j'en fumais deux paquets par jour.

Usher toussa de manière comique et Salter en profita pour s'engouffrer dans la brèche :

— Je me demande si vous corroborerez le récit qu'ont fait vos collègues de la soirée de vendredi.

— J'en serais ravi. Vraiment. Nous nous sommes retrouvés au bar à environ cinq heures et demie, nous avons pris un verre puis nous sommes partis vers six heures et quart. P'têt six heures vingt. Non.

Je dis des bêtises. En fait, il était six heures et demie : je me souviens qu'ils étaient en train de fermer le bar au moment de notre départ.

—Je pense connaître en gros la chronologie des événements, brailla Salter. Je voudrais juste savoir un ou deux détails. Tout d'abord, diriez-vous que Summers était soûl ?

—Comme un cochon, inspecteur. J'ai déjà vu des gens qui avaient une bonne descente, mais des comme lui, rarement ! Je pense qu'on aurait dû aller le mettre au lit. Vous croyez que c'est à cause de ça ? Quelqu'un l'a vu, l'a suivi jusque dans sa chambre ? C'est possible, non ? C'est vraiment un sale coup. Il avait tellement l'air de s'amuser, en plus. Je dois dire…

Salter attaqua une fois de plus :

—Pourquoi ? beugla-t-il. Pourquoi avait-il l'air heureux ? Est-ce qu'il l'a expliqué ?

—Non. Toute la nuit, il a répété qu'il avait eu un sacré coup de chance, mais à aucun moment il ne nous a dit pourquoi.

—Après son départ, Dunkley, Carrier et vous êtes restés dans le coin un moment pour boire encore quelques verres, c'est ça ?

—C'est ce bon vieux Carrier qui vous l'a raconté ? On peut dire ça comme ça, mais ce n'est pas exactement vrai. Il est un peu timide, ce brave Carrier. En fait, on est retournés à un seul endroit pour prendre un verre avant d'aller nous coucher, si vous préférez. Mais après ça, on n'avait plus vraiment envie de fermer les yeux, si vous voyez ce que je veux dire…

Usher fit le geste de regarder dans des jumelles et attendit qu'on lui demande pourquoi. Salter attendait, lui aussi. Usher poursuivit :

—L'endroit s'appelait Les Jardins du Paradis, un établissement francophone. Ça ressemblait plutôt à un trou noir.

—Un bar ?

—Ouais. Un bar. Avec des filles. Des strip-teaseuses. Un show permanent. Tous les clients criaient : « À poil ! À poil ! » et elles enlevaient tout, là, sur la table.

Usher hurlait de rire.

—Vous dites être retournés à cet endroit. Vous y aviez donc déjà été avec Summers ?

—Ouais. Dès que Marika est partie, ce bon vieux Dave a commencé à dire qu'il était temps de passer aux choses sérieuses. Alors il a demandé à un policier – c'est ce qui se fait, à Montréal –, qui nous a parlé de deux bars. Le premier n'était pas terrible, mais le deuxième, les Jardins du Paradis, était plein à craquer de belles nanas. On s'en est vraiment mis jusque-là.

—Ça n'avait pas suffi, apparemment. Vous y êtes retournés après le départ de Summers.

—C'est juste. On était comme des soldats en quartier libre.

—Vous êtes ensuite tous rentrés à l'hôtel. Je dois vous poser la question : avez-vous quitté votre chambre cette nuit-là ?

—Je le comprends parfaitement. Non, je ne suis pas sorti en douce pour aller descendre ce bon vieux Dave. Vous pouvez vérifier auprès de mon pote du Nouveau-Brunswick, si vous voulez. Il était dans la chambre quand je suis rentré et nous avons passé près de la moitié de la nuit à bavarder.

—Vous étiez avec un ami du Nouveau-Brunswick ?

— C'est bien ça, inspecteur. C'est le bon côté de ces congrès ; ça nous donne l'occasion de revoir nos vieux copains.

— Est-ce le principal but, professeur ?

— Voyons, voyons, inspecteur. Vous n'allez pas vous y mettre, vous aussi ! Un congrès par an, c'est le seul petit à-côté que nous ayons. Non, ce n'est pas le but principal. Le but principal, c'est de nous permettre de rafraîchir nos connaissances universitaires. (Usher fit un clin d'œil appuyé.) Mais ce n'est que l'un des avantages des congrès. On bouge tous pas mal, dans ce milieu. D'abord, aux deuxième et troisième cycles, puis généralement on a quelques emplois pendant qu'on termine sa thèse, et ces congrès rassemblent tous les gens qu'on a connus. En fait, c'est vraiment une excursion, pour nous. On voit un endroit différent chaque année. L'année dernière, on est tous allés à Moncton – il y a des homards fabuleux, là-bas ! – et l'année d'avant, c'était à Saskatoon. Seuls quelques-uns y étaient. (Il hurla de rire.) Saskatoon, en Saskatchewan, dit-il d'un ton moqueur. L'année avant ça, c'était à Edmonton. C'était pas mal, grâce aux sources thermales de Jasper. C'est vraiment beau. L'année prochaine, on va à Halifax. Je vous garantis qu'on va se bousculer pour y aller ! Les congrès dans les Maritimes sont généralement très populaires. Sauf à Terre-Neuve.

— Ça m'a tout l'air d'un sacré congrès, dites-moi ! Comme ceux des Kiwanis ?

— Je vous trouve un peu sarcastique, dites donc. Mais bon, il faut être honnête : nous y travaillons un peu, bien sûr, mais le but du jeu, c'est de partir en groupe.

— Et c'est comme ça que vous fonctionnez ? Vous tous, en groupe ?

—Quand on peut. Évidemment, on ne s'entend pas nécessairement comme larrons en foire quand on est à la maison, mais pendant les congrès, on est inséparables, en effet.

— Vous faites les trajets ensemble?

— C'était le cas cette fois-ci. Marika, John Carrier et moi y sommes allés avec ma voiture. Dunkley voyage toujours par ses propres moyens.

—Pourquoi?

—Dieu seul le sait. C'est comme ça, c'est tout. Mais ce bon vieux Dave en faisait autant. Il voyageait toujours seul, lui aussi.

— Pourquoi?

—Aucune idée. Il y avait de la place dans ma voiture, mais il a pris le train. Il a fait la même chose l'année dernière. Et il séjournait toujours dans un autre hôtel que nous. Je pensais que c'était juste le hasard, mais je l'ai observé cette année, par curiosité. J'ai bien vu qu'il traînassait au moment des préparatifs; il temporisait quand on lui demandait de partager une chambre pour baisser le prix. Et après, quand on a eu tout réservé, il a pris une chambre dans un autre hôtel. Je me suis alors rendu compte qu'il faisait toujours ça. Je persiste toutefois à croire qu'il n'y avait rien là-dessous. Je vais vous dire pourquoi: quand nous étions à Moncton, l'année dernière, il arrivait toujours en retard aux réceptions, le soir. Mystérieux, pensez-vous? C'est ce que je croyais. Mais savez-vous où il allait? Aux courses. Ils font des courses attelées, à Moncton, et Summers s'éclipsait chaque soir pour jouer aux petits chevaux. Quelqu'un l'a vu. Sacré filou. Je pense simplement qu'il était gêné de nous le dire. Pas très universitaire, n'est-ce pas?

Usher s'était légèrement calmé à mesure qu'il prenait un ton plus réfléchi. Il semblait en avoir terminé. Salter pensa qu'il n'aurait jamais d'autre occasion d'entendre parler de Summers par quelqu'un d'aussi objectif qu'Usher, aussi le poussa-t-il à en dire davantage :

— Vous pensez donc qu'il n'était pas inhabituel que Summers ait une chambre à lui seul, dans un autre hôtel que le vôtre ?

— Comme je vous l'ai dit, c'est ce que j'ai cru au début. Mais il faisait ça chaque année, en fait.

— Bien. Le soir, il allait aux courses. Et que faisait-il pendant la journée ?

— Il écoutait quelques communications, comme nous tous. Pas toute la journée, évidemment, et pas les mêmes.

— Il y a différentes discussions qui se déroulent en même temps ?

— Oh oui ! Il y avait quatre sessions par jour, à raison de cinq ou six exposés par session. Dans des salles différentes, bien sûr. Il y a toujours quelques sessions importantes, auxquelles participent les gros bonnets. Celles-là, tout le monde y assiste. Mais en général, pour les plus petites, nous allons tous à des sessions différentes et nous nous retrouvons après.

— Avez-vous vu Summers à certaines conférences ?

— Nous n'avons eu le temps d'assister qu'à une session, et il n'y était pas. Dunkley y faisait une communication. Je n'y suis pas allé et je ne crois pas que les autres y aient assisté non plus. Même David n'y est pas allé. Pourtant, c'était dans son domaine.

— Quel domaine ?

—La poésie romantique. Wordsworth était le seul et unique centre d'intérêt de David.

—Il aurait donc dû assister à la conférence de Dunkley?

Usher avait l'air contrarié de paraître critiquer un collègue.

—Oui, il aurait dû, admit-il.

—Dunkley et Summers enseignaient tous les deux la poésie romantique?

—Non. C'était bien le problème.

Usher semblait de plus en plus misérable. Il consulta sa montre.

—Écoutez, inspecteur, ça vous dirait de manger un morceau? Allons prendre un sandwich et une petite mousse, et je vous raconterai. C'est vraiment des conneries, tout ça, mais c'est aussi bien que vous soyez au courant.

Salter accepta; Usher, à grandes enjambées, prit sa veste et rangea ses papiers.

—Je vais vous emmener au cercle des professeurs, annonça-t-il. Ça vous donnera un aperçu de la vie au Douglas College.

Usher hurla de rire une fois encore.

—Vous connaissez le collège, inspecteur? demanda-t-il dans l'ascenseur.

—Je suis passé devant des dizaines de fois et votre directeur de département m'a raconté son histoire. Pourquoi?

Ils quittèrent la bâtisse et s'arrêtèrent sur le perron.

—Nous sommes au pavillon des arts, commença Usher. Là-bas se trouve le pavillon de l'administration; c'est le grand édifice étincelant. Là, c'est la bibliothèque, et toutes ces autres maisons abritent les autres départements. Et ça, c'est ce qu'on appelle le «quad».

Usher désignait le carré de gazon qui s'étendait devant eux.

—Nous allons par là.

Il entreprit de traverser la pelouse dans une version plein air des pas de géant qu'il pratiquait dans son bureau. Salter avait du mal à suivre le rythme sans trottiner.

—Nous sommes arrivés, déclara Usher tandis qu'il invitait Salter à franchir la porte d'entrée d'une vieille maison de briques rénovée.

—C'est là que se trouve, entre autres, le cercle des professeurs.

Dans un vestibule, ils suspendirent leurs manteaux à une patère, puis ils avancèrent vers la salle à manger ; c'était une agréable petite pièce ensoleillée meublée de manière aussi cossue que le café-restaurant d'un hôtel de classe supérieure.

—Monsieur Usher ! s'écria le serveur à peine avaient-ils franchi le seuil. Comment m'en suis-je tiré, monsieur ?

—Un fiasco, mon petit gars, un vrai fiasco. Tu es complètement foutu, lui cria Usher en retour, lui souriant de toutes ses dents. C'est une bonne chose que tu aies un emploi ici, mais si j'en juge d'après ton examen d'anglais, tu dois avoir des problèmes pour lire le menu. Je ne suis jamais tombé sur un tel tissu d'âneries aussi mal écrit de toute ma vie. Et on se demande ce que tu as utilisé comme stylo. Ton écriture, mon petit gars, évoque irrésistiblement l'agonie d'un poulet débile qui vient de traverser une flaque d'encre.

Le serveur accepta ce laïus avec un sourire, puis redemanda :

—Et comment est-ce que je m'en suis tiré ?

—Tu as réussi, mon petit gars, tu as réussi. Bon, sers-nous à boire et je te mettrai un A.

Au grand soulagement de Salter, la passe d'armes semblait terminée ; le serveur les conduisit à une table. Usher lança un regard circulaire dans la salle, fit un signe de main à quelques personnes, quêta la salutation d'une autre et la bière arriva. Salter commençait à regretter d'avoir accepté l'invitation d'Usher. Comment allait-il pouvoir l'interroger avec une dizaine de personnes en train d'écouter alentour ? Il espérait que son hôte pouvait aussi parler sur un ton confidentiel, mais à peine furent-ils installés qu'Usher reprit son histoire de la même voix perçante. Dans la salle, la plupart des conversations s'arrêtèrent et les autres clients écoutèrent.

—Ce que vous devez bien comprendre, inspecteur, commença Usher (Salter souhaita alors que les autres le prennent pour un inspecteur en bâtiment), c'est que nous avons tous un domaine. Une spécialité. Mon domaine, c'est Lawrence. D. H. Lawrence. Je viens de Nottingham – vous ne l'auriez pas cru, n'est-ce pas ? – et mon grand-père connaissait Lawrence, enfin, il disait le connaître, comme la plupart des vieux bonshommes de Nottingham.

Usher éclata de nouveau d'un long rire dément à l'évocation des mensonges des vieux de Nottingham à l'égard de Lawrence.

—Quoi qu'il en soit, il racontait plein d'histoires sur Bert, de sorte que quand je me suis tourné vers les études anglaises, Lawrence s'est présenté tout naturellement comme champ de spécialisation. Pour notre directeur, c'est Conrad, Carrier travaille quant à lui sur Tennyson, et Dunkley et ce bon vieux Dave sont spécialisés en littérature romantique. C'est là le hic. Voyez-vous, nous n'avons pas beaucoup d'étudiants : il y en a une vingtaine en programme spécialisé en anglais et aucun cours n'en compte suffisamment pour faire deux sections. Vous me suivez ? Et David donnait notre seul cours de littérature romantique. Il avait de l'ancienneté et jusqu'à ce qu'il prenne une année sabbatique, Dunkley n'avait aucune chance.

— C'était pour quand ? La sabbatique de Summers, je veux dire ?

Salter parlait si doucement qu'il entendait presque les autres dîneurs tendre l'oreille.

— Dans deux ans, je pense.

— Je vois. Donc, dans un sens, Summers avait jusque-là le cours de Dunkley.

— J'imagine. Mais quand on commence à parler de « ton » cours ou de « mon » cours, ça ne peut que mener à de mauvais sentiments et on en avait déjà assez comme ça.

Salter profita de l'arrivée des sandwiches pour changer de sujet. Il questionna Usher sur son volume de travail, les salaires des professeurs et la pression subie par un professeur d'anglais au Douglas College. Il formula toutes ses questions de manière à ce qu'elles aient l'air de s'intégrer à son enquête sur les causes de la mort de Summers et il récolta un discours interminable sur la vie d'un professeur vue par Usher, au terme duquel Usher l'informa que, personnellement, il était ravi d'être bien payé pour faire quelque chose qui lui plaisait et qu'il le ferait pour bien moins que ça s'il le fallait.

— Mais tout le monde ne pense pas de la même façon, hein ? demanda Salter.

— Comme dans la police, je suppose, répondit Usher, ajoutant : Mais pas nous, Dieu merci. Ni vous ni moi, inspecteur.

Et, une fois encore, il éclata d'un rire joyeux.

Ils retournèrent ensemble vers le pavillon des arts. Lorsqu'ils atteignirent la porte, Usher tendit la main :

— J'ai des courses à faire, inspecteur. Je pourrais vous revoir plus tard. Je n'étais pas si copain que ça avec David. Je ne le connaissais vraiment pas bien, mais je suis l'un des derniers à l'avoir vu vivant. (Pour la première fois, Usher parlait doucement.) Comme disait Bède le Vénérable, la vie est courte. C'est la vie.

Il tourna les talons et partit dans la rue.

Salter retourna au Département d'anglais ; il avait encore pas mal de temps avant son rendez-vous avec Dunkley, qui était le prochain sur sa liste, et il demanda à la secrétaire de lui ouvrir le bureau de Summers, verrouillé depuis le décès de son occupant.

Une petite pièce, meublée de deux fauteuils et d'un bureau, comme toutes les autres. Au mur, quatre ou cinq photos sous verre mais sans cadre, plus artistiques que réalistes, estima Salter (l'une d'entre elles était tellement floue que cela ne pouvait être qu'intentionnel). Quatre étagères de livres : sur l'une, les ouvrages étaient truffés de notes ; tous les autres paraissaient être des textes anciens ou des exemplaires envoyés gratuitement par les éditeurs. Salter ouvrit un des tiroirs du bureau, qui s'avéra plein de rebuts : des couvre-chaussures, une théière et une pendule dont le cadran était cassé. Il ouvrit les autres tiroirs, dans lesquels il trouva quelques lettres de ce qui semblait être une correspondance privée, qu'il entreprit de lire. La porte du bureau s'ouvrit et un jeune homme passa la tête dans l'entrebâillement :

— Dave est là ? demanda-t-il.

Salter secoua la tête.

— Vous savez quand il sera là ?

Salter haussa les épaules, éludant la question :

— Qui le demande ?

— Moi. Il a mon essai.

— Vous êtes étudiant ?

—C'est ça. En Arts de la scène. Dave nous donne un cours sur le théâtre moderne. Bon, salut.

La tête disparut.

Dave ? Un prof qui fait ami-ami avec les étudiants ? Ou peut-être est-ce courant de nos jours ? Salter continua de lire le courrier du défunt, sans grand intérêt. Une lettre d'un ami d'Angleterre. Deux autres écrites par d'anciens étudiants.

La porte s'ouvrit de nouveau, et un autre étudiant apparut dans l'encadrement.

— Professeur Summers ? demanda-t-il.

— Non.

— Vous n'êtes pas le professeur Summers ?

— Non. Que lui voulez-vous ?

— On m'a demandé de venir le voir. Mon directeur de département. Le professeur Summers est mon prof d'anglais.

— Et vous ne savez pas à quoi il ressemble ?

— J'étudie en journalisme. On est pas mal occupés. On n'a pas beaucoup de temps pour l'anglais. Je n'ai pas encore eu l'occasion de voir le menu du trimestre. Bon. Je reviendrai plus tard.

Il disparut.

Salter acheva d'inspecter le bureau de Summers et feuilleta l'agenda qui s'y trouvait. Pour y chercher quoi ? Avant qu'il ait pu répondre à la question, la secrétaire apparut pour lui dire que Dunkley l'attendait dans son bureau.

◆

—Je n'aimais pas Summers, comme on vous l'a certainement déjà dit.

Dunkley, assis à son bureau, se prêtait à l'interrogatoire. C'était un bel homme : il était grand et avait d'épais cheveux blonds jusqu'aux épaules, le front légèrement dégarni. Il se tenait encore très droit. Il portait des vêtements issus de surplus de l'armée qu'il semblait rendre à leur vocation originale. Ses murs étaient couverts d'avis de réunions consacrées à l'aide apportée à divers groupes de réfugiés. Comme la plupart de ses collègues que Salter avait déjà rencontrés, Dunkley avait une quarantaine d'années.

—Oui, c'est ce qu'on m'a dit. Mais personne ne m'a expliqué pourquoi.

—C'est parce que personne ne le sait. Je n'ai rien à voir avec ces gens-là. Ni avec vous, d'ailleurs.

—Ça pourrait bien être le cas, vous savez. Vous vous êtes querellés pendant dix ans, m'a-t-on dit. Ça pourrait être une raison suffisante pour le tuer.

—Vous n'êtes pas payé pour plaisanter avec les suspects, n'est-ce pas, inspecteur ?

—Alors, peut-être pourriez-vous me dire à quoi je suis payé, professeur ?

—Principalement à persécuter les gens qui ne peuvent pas se défendre tout seuls, pour ce que je peux en dire.

—Des cochons de fascistes, en quelque sorte ?

—Pourriez-vous en venir au fait ?

—Bien. Pourquoi vous querelliez-vous ?

—Il n'y avait aucune querelle entre nous.

—Non, c'est vrai, juste une haine réciproque pendant dix ans.

—On ne s'aimait pas, c'est exact. Pouvons-nous poursuivre, s'il vous plaît ? Je suis extrêmement occupé.

Sous la précision de la diction perçaient des voyelles assourdies.

—Vous êtes Australien, monsieur Dunkley ?

—Je suis né en Nouvelle-Zélande. À l'origine, ma famille venait d'Allemagne. Mes parents ont changé leur nom de Dunkel en Dunkley en 1939 pour des raisons patriotiques. Je suis marié, mais ma femme et moi sommes séparés, et je subviens toujours aux besoins de mon épouse. Autre chose ?

—C'est sur Summers que j'aimerais en savoir un peu plus. Qu'aviez-vous contre lui ?

—Je le détestais. À mon avis, il n'aurait jamais dû enseigner ici.

—Pourquoi ? Est-ce qu'il baisait les étudiantes ?

—Probablement. Mais j'étais plus préoccupé par ses normes académiques.

—Elles étaient médiocres, selon vous ?

—Inexistantes.

—C'était un mauvais professeur ?

—À mon avis, oui.

—Et qu'en pensaient les étudiants ?

—Certains d'entre eux appréciaient le genre de choses qu'il faisait, sans doute.

—Avez-vous assisté à l'un de ses cours ?

—Non.

—Mais vous en avez entendu parler ?

—Oui.

—Par les étudiants.

—Oui.

—Ils venaient se plaindre auprès de vous, c'est ça?

—Ils en connaissaient rarement assez pour se plaindre, mais avec ce que j'entendais, je savais ce qui se passait.

—Je vois. Avait-il des opinions politiques différentes des vôtres?

—Il n'avait aucune opinion politique. Dans ce domaine comme dans les autres, c'était un opportuniste.

—Je vois. Bon. Ça m'a l'air plutôt moche. Pouvons-nous revenir à cette fameuse soirée de vendredi à Montréal? Vous avez réussi à surmonter le dégoût qu'il vous inspirait, suffisamment pour accepter son invitation. Il vous a invité à dîner, je crois.

—Oui, en effet. J'ignore où il avait eu l'argent.

—Pourquoi avez-vous accepté son invitation?

—Il m'a invité devant les autres et ceux-ci savaient que je n'avais rien de prévu. Alors, j'ai choisi la facilité.

—Pour faire changement.

—Pardon?

—Vous avez choisi la voie la plus facile, pour faire changement. Malgré votre préférence pour la plus difficile.

—De quoi parlez-vous, inspecteur?

—Je n'en suis pas sûr.

Ce qui était vrai : son aversion pour son interlocuteur l'avait égaré. Salter poursuivit :

—Donc, vous y êtes allé. Quand madame Tils a-t-elle quitté le groupe?

—Après dîner. Vers neuf heures.

—Et puis?

—Puis Summers nous a emmenés voir les danseuses nues.

—Et ensuite ?

—Summers est rentré à son hôtel.

—Était-il soûl ?

—Un peu sonné, disons. C'est en tout cas ce que j'ai pensé sur le moment.

—À quelle heure vous a-t-il quittés ?

—Il était environ dix heures.

—Pourquoi dites-vous que c'est ce que vous avez «pensé» ?

—Parce que je pense qu'il est possible qu'il nous ait joué la comédie.

—Pourquoi ?

—Je pense qu'il est possible qu'il soit parti chercher une prostituée.

—Qu'est-ce qui vous fait penser ça ?

—Il en a parlé pendant le spectacle.

—Et vous, vous ne regardiez le spectacle que pour lui tenir compagnie ?

—Je regardais ça différemment. Ces filles sont payées pour satisfaire des types comme Summers.

—Exploitation d'une minorité ?

—À vrai dire, oui.

—Que s'est-il passé après le départ de Summers ?

—Nous avons pris encore un verre et nous avons marché un peu dans le coin. Nous sommes ensuite rentrés. Carrier et moi sommes allés dans notre chambre. Je présume qu'Usher en a fait autant, bien que je ne puisse pas le confirmer.

—C'est bon, professeur. Moi, je le peux. Revenons à ce dernier verre : où êtes-vous allés ?

À ce moment-là, Dunkley s'empourpra.

—Nous sommes retournés au bar, dit-il. Comme vous le savez manifestement déjà.

—Je dois tout confirmer, professeur. Mais dites-moi : était-ce le même spectacle ?

— Oui.

— Pourquoi y être retournés, alors ?

— Il n'est pas dans mes habitudes de dire du mal de mes collègues dans leur dos. Demandez-leur, à eux.

— C'est ce que j'ai fait. Ils voulaient voir un peu plus de nichons. Et vous, quelle était votre motivation ? Vous vouliez organiser une protestation ?

Dunkley se taisait. Salter insista :

— Le strip-tease n'avait pas le même effet sur vous, professeur ? L'idée ne vous a pas effleuré de vous trouver une fille ?

— Nous sommes rentrés nous coucher.

— Quelle heure était-il ?

— Je ne saurais vous dire. Dix heures et demie, à peu près.

— C'est un peu tôt, non ?

— Je ne pense pas être dans l'obligation de vous expliquer mes habitudes de sommeil.

— C'était donc votre heure habituelle, c'est ça ? Dix heures et demie ?

— Oui. Et j'avais eu une journée difficile.

— C'est vrai. Vous avez prononcé une conférence ce jour-là. Il y avait beaucoup de monde ?

— La salle était à moitié pleine.

— Mais aucun des collègues qui vous avaient accompagné n'y a assisté.

— Aucun de mes collègues ne connaissait quoi que ce soit à mon sujet.

— Sauf Summers, n'est-ce pas ? Il était spécialisé dans le même domaine que vous, non ?

Dunkley resta silencieux.

— Était-ce le cas ?

— Summers n'avait pas de domaine de spécialisation.

—Je vois. Il pensait pourtant en avoir un, non ?
Wordsworth, Keats et toute la clique.

—C'est ce que je crois.

—Mais lui et vous n'avez jamais parlé de vos
domaines ?

—Il y a très peu de professeurs qui parlent de
littérature. Leurs sujets de conversation préférés
sont les hypothèques et l'œnologie.

—Comme chez nous, à la cantine. Pouvons-nous
revenir à cette fameuse nuit où vous êtes allé au lit
à dix heures et demie, c'est-à-dire à votre heure habituelle ? À quelle heure vous levez-vous généralement ?

—À six heures, en fait. Je travaille toujours pendant deux heures environ avant le petit déjeuner.

—Donc, vous vous êtes levé à six heures, répéta
Salter, écrivant laborieusement sur son bloc-notes.
Carrier aussi ?

—Non. En réalité, je ne me suis pas levé à six
heures ce matin-là. J'ai passé une nuit très agitée et
je n'ai réussi à m'endormir qu'au petit matin. Il était
plus de huit heures quand nous nous sommes levés.

Salter se demandait pourquoi il mentait. Carrier et
lui n'avaient quand même pas joué les Burke et
Hare[1] avec Summers ?

—Je vois, dit-il. Vous ne verriez pas d'inconvénient à signer une déclaration en ce sens, n'est-ce
pas, professeur ?

—Bien sûr que non.

—Eh bien, merci, monsieur Dunkley. Écoutez :
si un jour vous avez envie de me dire ce que vous

---

[1] NDT: Tandem de tueurs en série qui a sévi en Angleterre au XIXᵉ siècle.
     Fatigués d'exhumer des cadavres dans les cimetières pour fournir des
     médecins anatomistes peu scrupuleux, Burke et Hare tuèrent onze
     personnes avant d'être arrêtés et jugés en 1828.

aviez contre Summers, voici mon numéro. Je demanderai à tous les autres, de toute façon.

Dunkley, silencieux, le laissa poser sa carte sur le bureau.

— Ne vous levez pas, dit Salter en se levant de sa chaise. Et ne quittez pas la ville.

— Suis-je suspect ?

— Tout le monde l'est, professeur, jusqu'à ce qu'on trouve l'assassin.

◆

Marika Tils parlait anglais avec un fort accent du Nord de l'Europe. Mais que pouvait-elle bien faire dans un département d'anglais ?

— Je suis Hollandaise, inspecteur. L'anglais est ma langue seconde, mais j'ai une maîtrise de l'Université de Toronto, devant laquelle ils se prosternent tous, ici. J'ai fait une comparaison entre *Le Paradis perdu* et un poème hollandais du même genre. Ici, j'enseigne l'anglais aux étudiants étrangers, principalement des Chinois de Hong Kong, bien que nous en accueillions de partout.

La syntaxe était impeccable, mais l'accent était si marqué qu'il avait l'air forcé. Salter se rappela une histoire qu'il avait un jour entendue à propos d'une situation semblable, et il essaya de plaisanter :

— N'y a-t-il pas un risque de voir tous ces étudiants chinois prendre l'accent hollandais, madame Tils ?

Elle sourit.

— Non, pas vraiment. Mais si la grammaire est correcte, ça n'aurait pas réellement d'importance, n'est-ce pas ? C'est précisément le genre de problème qui intéresse le professeur Higgins.

Bien. Salter se sentit soulagé. Marika Tils avait entre trente-cinq et quarante ans, et son visage était à peine marqué. Elle avait des cheveux blonds et raides, un beau visage aux traits un peu épais et elle était bien charpentée, sinon un peu forte. Gracieuse, féminine, elle avait une allure d'athlète, de nageuse ou de cavalière. Habillée avec élégance (*ou nue au soleil*, songea Salter), elle était probablement épous-touflante. La seule chose un peu gênante, c'est qu'elle avait vaguement le teint et le port de Dunkley. Son teint était brouillé et ses yeux, un peu rouges. Enfin quelqu'un qui pleurait la mort de Summers.

—Je vais en venir au fait, madame Tils. Diriez-vous que vous étiez une amie de David Summers?

—Oh oui, je l'aimais beaucoup.

Qu'est-ce que cela pouvait bien dire, traduit du néerlandais?

—Cela signifie-t-il que vous étiez amants?

—Oh non, je ne l'aimais pas en ce sens. Mais je regrette maintenant que ça n'ait pas été le cas. Il était heureux en ménage et je ne suis pas libre, moi non plus. Non, je veux dire que je l'aimais bien. Il était formidable.

—Comment ça?

Elle haussa les épaules.

—Je pouvais lui parler. Je pouvais lui faire con-fiance. Il m'aimait bien. Quoi d'autre?

—Il ne semble pas avoir marqué tout le monde de cette manière.

—Bien sûr que non. C'était certes mon ami, et il comptait beaucoup pour moi. Mais ce n'était quand même pas le Messie. Il y avait beaucoup de gens qui ne l'aimaient pas.

—Mais vous n'étiez pas amants?

L'intérêt que manifestait Salter l'agaçait.

—Comme je vous l'ai déjà dit, non. Mais c'était un hasard. Nous n'avons pas couché ensemble, mais ça ne m'aurait pas déplu.

—Puis-je vous poser quelques questions à propos de vendredi soir ? Tout d'abord, savez-vous pourquoi il était si heureux ?

—Non. Mais ce n'était pas que de la bonne humeur. Il s'était produit quelque chose, mais il n'a jamais eu l'occasion de me le dire à cause de la présence des autres. Vous êtes au courant de ses relations avec Dunkley ?

—Vaguement. Quel était le problème entre eux ?

—Je ne sais pas. Ils étaient liés par quelque chose qui faisait qu'ils se haïssaient. Comme deux complices qui auraient eu honte du bon vieux temps. Si vous voulez connaître mon avis, je pense que c'était quelque chose de stupide ; ils avaient dû se croiser dans un salon de massage ou quelque chose du genre. Bien sûr, Dunkley est un fanatique et il haïrait quiconque le surprendrait en train de faire quelque chose de mal. C'est peut-être politique. Je ne sais pas. En tout cas, vous pouvez être sûr que ce n'est pas très intéressant.

—Votre directeur de département a dit qu'ils étaient comme deux personnages d'un récit de Conrad.

—En effet. Je l'ai déjà entendu le dire. Mais Conrad, lui aussi, faisait une montagne d'une taupinière.

—D'après ce que vous et d'autres avez déclaré, Dunkley et Summers étaient très différents l'un de l'autre.

—C'étaient le jour et la nuit.

—Est-ce à dire que vous n'aimez pas Dunkley?

— Voilà qui est… assez peu orthodoxe, n'est-ce pas?

—Oui, c'est possible. Mais j'essaie de me faire une idée de l'homme qu'était Summers et de son entourage. Vous n'êtes pas obligée de répondre.

—Ça va. Non, ceci ne signifie pas nécessairement cela. Toutefois, pour répondre à la vraie question, je n'aime pas Dunkley, mais ça n'a rien à voir avec David.

—Pourquoi, alors?

—Oh, pour l'amour du ciel! Je n'aime pas sa façon de manger, il a mauvaise haleine, je ne sais quoi encore. Qu'est-ce qui fait qu'on n'aime pas certaines personnes? Je ne l'aimais pas, c'est tout.

—Excusez-moi. Donc, après le dîner, vous êtes rentrée à l'hôtel. Avez-vous passé le reste de la nuit seule dans votre chambre?

Marika Tils rougit violemment. Gêne ou colère?

—Je suis désolé. Ma question était mal posée. Avez-vous quitté votre chambre pour une raison quelconque après être revenue à l'hôtel?

—Non. Oh, je vois. Vous vous demandez si j'ai tué David. (Elle avait un ton dégoûté.) Non, je n'ai pas quitté ma chambre pour me rendre à l'hôtel de David et le tuer.

—Ce n'est pas ce que je voulais dire, bien que vous soyez assez forte pour l'avoir fait. Vous pourriez avoir un mobile que j'ignore. Nous avons trouvé un verre portant des traces de rouge à lèvres dans sa chambre.

—Ah, vous pensez que j'aurais pu aller le voir pour faire l'amour avec lui? (Elle se détendit et secoua la tête.) Dommage que je ne l'aie pas fait. Il serait encore en vie aujourd'hui.

—Quelqu'un lui a rendu visite, madame Tils. Une femme.

—Apparemment, inspecteur. Mais ce n'est pas moi. Je ne porte plus de rouge à lèvres depuis dix ans. (Elle avait l'air intéressée malgré elle.) Je me demande qui David a pu planquer à Montréal…

—Je vais le découvrir. Madame Tils, vous qui étiez une amie du professeur Summers, avez-vous connaissance d'un fait de sa vie privée qui aurait pu conduire quelqu'un à le tuer? Des femmes, des dettes, que sais-je encore?

Elle secoua la tête.

—Il doit bien s'agir de quelque chose de ce genre, je sais bien. Mais je ne vois vraiment pas qui aurait pu faire ça. Certainement personne ici, pas même Dunkley.

—Comment pouvez-vous en être aussi sûre?

—Il a un alibi, non? Mais disons plutôt que c'est mon intuition. Je connais Dunkley. Il ne ferait pas une chose pareille.

Une fois encore, Salter ressentit un picotement caractéristique sur le cuir chevelu; il sentait qu'elle lui cachait quelque chose. Que pouvait-il bien se passer?

◆

Mû par une soudaine impulsion, au lieu de se rendre directement à son dernier rendez-vous, il retourna au bureau de Carrier, où il entra sans attendre d'y être invité. Dès qu'il apparut, Dunkley se leva de sa chaise et passa devant lui en l'ignorant. Carrier resta immobile, en silence; Salter prit la chaise vacante.

—Monsieur Carrier, j'ai oublié de vous demander une déposition. Comme le professeur Dunkley et vous partagiez la même chambre, vous serez donc en mesure de confirmer mutuellement vos récits, n'est-ce pas? J'aurai besoin d'une déclaration signée. Puis-je simplement vérifier une fois encore les faits?

Salter consulta son bloc-notes et fit semblant de revenir à ce qu'avait dit Carrier, puis poursuivit:

—Juste quelques détails supplémentaires: à quelle heure le professeur Dunkley et vous êtes-vous revenus à votre chambre?

—Vers dix heures et demie.

—Et vous êtes restés toute la nuit dans votre chambre?

—Oui.

—À quelle heure l'avez-vous quittée le matin?

—Je ne me rappelle pas. Après huit heures.

—Vous deviez être épuisés. Un peu éméchés, peut-être?

Carrier ne répondit pas.

—Eh bien, ça concorde, n'est-ce pas? conclut Salter avec un sourire. Si vous pensez à quelque chose qui puisse m'aider, quoi que ce soit, n'importe quoi que Summers ait pu dire ou faire, par exemple, vous me le ferez savoir, n'est-ce pas? Je vais vérifier tout cela avec le personnel de l'hôtel, bien sûr, mais je ne dois pas m'attendre à ce qu'ils aient remarqué quoi que ce soit, non?

Pourquoi donc Carrier avait-il l'air si effrayé? Sans doute parce qu'il était retourné une dernière fois au bar de danseuses. Ou au bordel. Était-ce légal, à Montréal? Salter se le demandait. Il regardait fixement le professeur, regrettant de ne pas mieux connaître les techniques d'interrogatoire.

◆

Pour finir, vint le tour de Pollock. Le nom disait quelque chose à Salter, mais l'homme lui était inconnu. C'était le premier qui avait enfin l'air d'un vrai professeur. Complet sombre, gros nœud papillon et bottines démodées noires qu'il mettait à angle droit pour s'incliner – du moins c'est ce qu'il semblait – devant le visiteur qui franchissait sa porte. Assez petit, coquet, il tenait avec affectation une pipe recourbée pourvue d'un couvercle dont le tuyau était dans sa bouche. Quand Salter fut entré, il se tourna, remit ses bottines à angle droit et attendit que l'inspecteur parlât.

Il essaie d'avoir l'air d'un vieillard facétieux, bien qu'il soit trop jeune pour cela, pensa Salter. Il avait environ trente-cinq ans.

Finalement, après avoir tiré une longue bouffée de sa pipe, Pollock contourna son bureau et s'assit. Il croisa les jambes sur le coin du bureau et y posa le coude de la main qui tenait la pipe, la tête face à Salter.

Salter s'attendait à l'entendre dire : « Que puis-je faire pour vous, inspecteur ? »

Pollock sortit sa pipe de sa bouche, la regarda, la remit en place, tira dessus, l'enleva encore, puis dit :

— Que puis-je faire pour vous, inspecteur ?

— J'ai besoin d'un mobile, monsieur Pollock, et je pourrais peut-être le trouver dans les antécédents de Summers. On m'a dit que vous étiez son plus vieil ami ici. Tout d'abord, savez-vous s'il y a une femme dans sa vie, autre que sa femme ?

Salter avait l'impression d'être sur scène, en train de jouer le rôle du policier tandis que Pollock jouait celui du professeur.

Pollock réfléchit.

—Non, répondit-il d'un ton décidé. Il y en a déjà eu une. Mais pas depuis des années.

—Vous en êtes sûr?

—Certain. Les liaisons de David ne duraient jamais très longtemps. Au fil des années, il est tombé amoureux une fois ou deux. J'étais toujours au courant, parce qu'il me le disait. À moi et à sa femme. C'est pourquoi ça ne durait jamais.

—Sa femme y a mis le holà?

—Non. Le fait qu'elle soit au courant suffisait.

—Mais il n'était pas « amoureux » au moment de sa mort?

—Non.

—Vous en êtes certain?

—Oui.

—N'aurait-il pas pu avoir une brève aventure avec une collègue à Montréal?

Salter était songeur: cette manière de parler lui était inhabituelle.

—Non.

—Vous en êtes certain?

—Oui.

Là, ça risquait de virer au cauchemar, comme dans une pièce de théâtre quand une partie du dialogue revient à son point de départ à cause d'une mauvaise réplique. Salter sortit de sa torpeur.

—Auriez-vous l'obligeance de me dire pourquoi vous êtes si sûr de vous?

Pollock tira quatre bouffées avant de dire sa réplique.

—Parce qu'il n'avait qu'une femme collègue, Marika Tils, et qu'il n'a pas eu de brève aventure avec elle.

—Comment le savez-vous?

—Parce que je le lui ai demandé, à elle.

—Je vois. Et on doit la croire, n'est-ce pas?

—Absolument.

Une petite bouffée, une pause, une petite bouffée.

—Voyez-vous, inspecteur (il prit une bouffée), Marika et moi sommes amants.

Il ponctua sa déclaration de trois bouffées supplémentaires.

Nom de Dieu, pensa Salter. *Dans quel monde ces gens vivent-ils?* Il sortit un papier chiffonné de sa poche.

—Cette conversation est strictement confidentielle, professeur, et je pense que je peux vous faire confiance. On a trouvé ce message dans son casier, à la réception de l'hôtel. Il le lut: « À plus tard. Attends-moi. Jane. »

Pollock eut l'air troublé.

Bingo, pensa Salter.

Puis:

—Ah oui, dit Pollock. J'étais au courant, pour Jane, bien sûr. Mais elle ne semblait pas concernée par votre question. Il s'agit de Jane Homer, la directrice des étudiantes de Wollstonecraft Hall. C'étaient juste de vieux amis.

—Je vois.

Salter prit quelques notes.

—Bon, maintenant, professeur, je me demande si vous seriez assez aimable pour me dire tout ce qui pourrait m'aider à mieux comprendre Summers. Ça me rendrait grandement service d'avoir une idée du genre d'homme qu'il était.

Pollock entama un séminaire sur son défunt ami. Salter fit semblant de prendre des notes pour donner à ses mots leur juste valeur.

— C'était, je pense, un bon professeur, un critique tout à fait équitable, un piètre universitaire et un étudiant très médiocre. Il travaillait dur à son poste, ici. Trop dur, probablement ; il avait des choses intéressantes à dire sur ce qu'il enseignait, mais il ne suivait pas ce qui se faisait dans son domaine et ne produisait rien. Ses amis pensaient qu'il gâchait ses talents et ses ennemis l'accusaient de papillonner. Je pense pour ma part qu'il avait atteint l'âge où il est aujourd'hui à la mode de changer de carrière. Les symptômes en étaient que, depuis un ou deux ans, il s'était engagé dans une foule d'activités que certains ne considéreraient que comme des distractions.

— Par exemple ?

— Par exemple le squash, inspecteur. Il s'était mis au squash l'année dernière et il y jouait quatre ou cinq fois par semaine. C'était le point fort de sa journée.

— Était-il bon ?

— Non. J'ai fait une partie avec lui un an après qu'il s'y était mis. Il était vraiment mauvais. Mais parmi les personnes avec qui il jouait à son club, il pouvait trouver des compétiteurs acharnés.

— Quoi d'autre ?

— Gagner de l'argent. Visiblement, il avait décidé de tenter de faire fortune. C'était un vrai parieur : le poker, les courses, ce genre de choses. Il achetait tous les billets de loterie qu'il pouvait. Et dernièrement, il boursicotait dans les marchandises.

— Avait-il d'autres distractions ?

— Vous voulez savoir s'il faisait une « crise de milieu de vie » ? Je crois que c'est le terme. Peut-être.

Toutefois, il ne s'était pas mis à s'habiller comme un bohémien ou à porter une perruque ni à avoir aucun des autres symptômes dont j'ai entendu parler. Non, si je comprends bien ce qu'est une crise de milieu de vie, il s'agit d'une tentative de vivre quelques années supplémentaires d'enfance quand on atteint l'âge mûr; en tout cas, c'est comme ça qu'elle se manifeste par ici. Eh bien, c'est peut-être ce qu'il était en train de faire, mais dans son cas, cela se traduisait par un soudain regain d'intérêt pour les jeux et le risque.

—Qui étaient ses amis, professeur?

—Moi, bien sûr, et Marika. Il y en avait un ou deux autres du département qui appréciaient sa compagnie. Autrement, les gens que sa femme et lui fréquentaient. Il n'avait pas beaucoup d'amis, pas dans le sens où les gens l'entendent aujourd'hui, mais il avait tendance à les garder.

—Et ses ennemis?

—Beaucoup de gens se méfiaient de lui. Il avait la mauvaise habitude de chercher le côté amusant de toute situation et, quelquefois, il exerçait son sens de l'humour aux dépens des autres. Il taquinait les gens et ils se vexaient. La taquinerie est bien une forme de cruauté, non?

—J'essaie de comprendre les relations qu'il y avait entre Dunkley et lui, dit Salter, en venant au fait. Pouvez-vous m'y aider?

—Oui. Je pensais bien qu'on en parlerait. Vous avez sans doute entendu la théorie de Browne, sur la relation conradienne?

—Oui. Vous pensez qu'elle est fondée?

—Oh oui, elle est bel et bien fondée, inspecteur, mais elle aurait été beaucoup plus marquante si elle avait été émise par quelqu'un d'autre. Venant de

Browne, ça n'a pas beaucoup de poids. Browne a fait sa thèse sur Conrad. C'est le seul auteur qu'il connaisse.

— Vous ne la trouvez pas très pertinente, alors.

— Pas vraiment. Je pense simplement qu'entre Summers et Dunkley il y avait des étincelles.

— Summers s'est-il jamais confié à vous, à propos de ses sentiments à l'égard de Dunkley et des motifs de leur discorde ?

— Non, jamais. C'est la raison pour laquelle je ne pense pas qu'il y ait un mystère là-dessous. Il m'en aurait certainement parlé. Nous étions très proches.

À ce moment-là, de manière assez inattendue, Pollock cessa de jouer la comédie et ses yeux se remplirent de larmes. Il posa sa pipe et se moucha.

Salter lui accorda quelques instants en feignant de griffonner, puis lui dit, assez gentiment :

— Il semble cependant étrange qu'il n'ait jamais discuté d'une querelle aussi notoire avec vous, monsieur, qui étiez son ami le plus proche ?

Mais Pollock était à présent trop bouleversé pour suivre Salter dans ses conjectures. Il haussa les épaules et s'employa à rallumer sa pipe.

Salter rangea son bloc-notes et se leva.

— S'il vous revient quoi que ce soit qui, selon vous, pourrait m'être utile, vous me trouverez à l'édifice de l'Administration centrale. Merci beaucoup, monsieur.

Quand il partit, le professeur était encore en train de cligner des yeux sur sa pipe.

Tandis qu'il s'éloignait dans le couloir, Salter entendit des pas derrière lui : il ralentit suffisamment au coin pour voir Marika Tils entrer dans le bureau de Pollock.

CHAPITRE 3

—Qu'est-ce qui pourrait bien pousser deux types à ne pas se parler pendant des années ? demanda Salter.

Annie et lui étaient assis sur une dalle de béton, à l'arrière de la maison, et regardaient le gazon. En des circonstances analogues, leurs voisins auraient dit qu'ils prenaient le café sur la terrasse, dans le jardin, mais pour des raisons de snobisme à rebours, bien que cela se manifestât différemment pour chacun des deux, Salter et Annie appelaient cet endroit la « cour ». Salter avait grandi à Cabbagetown, et « cour » y était le terme approprié pour l'endroit où les Canadiens se rafraîchissaient pendant l'été ; « jardin » était un terme britannique et affecté. Dans le cas d'Annie, on appelait encore « cour » le quart d'hectare de pelouse qui entourait la maison familiale de l'Île-du-Prince-Édouard et elle trouvait que « jardin » faisait Haut-Canada et un peu mièvre.

—Leurs amis ne le savent pas ? demanda-t-elle.

—Non. C'est un foutu mystère. Il n'y a sans doute rien derrière, mais le gars qui refuse de me parler est mon principal suspect pour le moment.

—Pourquoi ?

—Comme ça. Juste parce que je n'aime pas ce salaud.

—Il y avait peut-être une femme?

—Personne n'en a rien dit, si c'est le cas.

—C'est politique, alors. Souviens-toi de ton histoire avec Albert Prine.

Salter fut immédiatement irrité. Quel était le rapport?

—Et alors? Je l'ai surpris en train d'écouter mes conversations téléphoniques.

—Mais tu n'as jamais pu le prouver.

—Non, mais ce salaud sait pertinemment que je l'ai surpris. Si je l'avais accusé, on m'aurait traité de paranoïaque.

—Il écoutait bel et bien, cependant. Et tu n'en as rien dit à personne.

—Si je l'avais fait, il en aurait vite entendu parler et j'aurais dû le prouver ou il m'aurait flanqué une raclée.

—Et tu ne lui as donc plus adresser la parole pendant un an. Et tu ne prononces même plus son nom à la maison.

—Non, parce que parfois, j'ai l'impression que tu penses que j'ai inventé tout ça.

—Oh, je te crois, Charlie. Mais tu vois où je veux en venir.

—OK.

Salter ravala son irritation.

—Donc, pour toi, ces deux-là savaient en quelque sorte quelque chose l'un sur l'autre. Mais je ne pense pas qu'il puisse s'agir de politique.

—D'argent?

—Je ne vois pas comment.

—De sexe, alors?

—L'un des copains de Summers a émis l'hypothèse qu'ils se seraient pu se rencontrer dans un
salon de massage. D'après ce que j'ai vu de Dunkley,
ce genre d'endroit le met mal à l'aise, précisément.
Mais j'ai appris que Summers serait du genre à
tourner en dérision cet embarras une fois qu'il l'aurait compris. Il n'était pas gêné de proposer qu'ils
aillent tous voir les danseuses nues à Montréal,
contrairement à Dunkley.

—Tu veux dire que dès qu'ils sont loin de leurs
femmes, tous ces professeurs d'âge mûr agissent
comme…

—Exactement comme tout le monde. Surtout à
cet âge-là.

Elle accepta la taquinerie.

—Charlie, irais-tu à un spectacle de ce genre si
tu passais des vacances loin de moi ?

—Non, ma chérie. Seulement pour le travail.

Mais elle était inquiète, maintenant.

—D'après ce que tu m'as dit, la moitié de ces
gens ont des aventures dont leurs femmes ne savent
rien.

—Seulement un, ma chérie. Pollock. Et je ne sais
pas s'il est marié.

—Bien sûr qu'il l'est.

Et voilà, c'était parti : la complainte familiale,
intitulée « Pourquoi les hommes mariés ont-ils des
aventures ? », accompagnée de l'inévitable thème
sous-jacent : « As-tu une aventure ? » Heureusement, Salter fut sauvé par l'arrivée d'Angus qui
franchissait le coin de la maison, une batte de
cricket à la main. L'une des traditions de la famille
d'Annie voulait que les hommes aillent au Upper
Canada College et elle avait utilisé son fonds en

fidéicommis, créé par sa grand-mère, pour poursuivre la tradition avec Seth et Angus. Il aurait été grossier de la part de Salter de s'y opposer, mais leurs manières raffinées le mettaient mal à l'aise et, avec fermeté et ironie, il gardait ses distances avec le genre de situations auxquelles ses fils étaient mêlés et qu'ils ramenaient occasionnellement à la maison.

— As-tu gagné ? demandait-il à présent. Combien de guichetiers as-tu détruits ?

— Guichets, papa. Aucun. J'ai été mis hors jeu dès la première balle.

— Ça a l'air mauvais, fiston.

— Ça l'est. Ça veut dire que j'ai été sorti avant même d'avoir touché une balle.

— Allons donc ! As-tu frappé, aujourd'hui ? demanda Salter, les yeux écarquillés.

— Lancé, le reprit Angus. Lancé, lancé, lancé, lancé. NON.

— Ça suffit, intervint Annie. Venez souper.

Encore un mot qu'elle préservait en lieu et place de « dîner », qui faisait lui aussi très «Haut-Canada».

— Angus ne voudra pas d'un souper, déclara Salter. Il prendra le thé. Au pavillon. N'est-ce pas, fiston ?

Les deux autres ignorèrent sa blague. Sa femme se dirigea vers la maison tandis que son fils prenait son fauteuil, indiquant ainsi son souhait de bavarder avec son père. C'était suffisamment rare pour que Salter arrête de plaisanter et manifeste de l'intérêt. Angus en vint immédiatement au fait.

— Papa, le prof d'éducation civique veut que des parents viennent nous parler de ce qu'ils font. J'ai dit que j'allais te demander.

Cette requête plongea Salter en pleine confusion. Bien que sa carrière ne fût pas vraiment au centre des sujets de conversation à la maison, il avait l'impression que les garçons, une fois passée leur phase « flics et voleurs », avaient légèrement honte de lui, surtout parmi leurs amis fortunés. Et voilà qu'Angus proposait qu'il se montre en public. Son premier instinct fut d'émettre un refus immédiat et moqueur, mais il était quand même touché et gagna donc du temps.

—Qui avez-vous eu jusqu'à présent, fiston ? demanda-t-il.

—Le père de Pillsbury, qui est courtier à la Bourse, un comptable agréé, deux avocats et un grand chirurgien qui greffe des cœurs ou quelque chose comme ça.

Salter revint à son premier instinct.

—Non, merci, fiston. Trop chic pour moi. Je vais te dire : je vais demander à mon sergent. Il est souvent allé dans les écoles pour la semaine de la sécurité, pour apprendre aux élèves le fameux « arrêter, regarder, écouter ». Les enfants adoraient ça.

Angus se leva.

—Je sais. Je l'ai entendu. Je dirai à monsieur Secord que c'est non, alors.

—C'est ça. Dis-lui que tout mon travail est hautement confidentiel.

Annie revint après qu'Angus eut soupé.

—C'est moi qui ai fait cette suggestion, dit-elle. Il m'avait demandé mon avis et je lui avais dit que je pensais que tu pourrais. Pourquoi ne le fais-tu pas ?

—Parce que j'aurais l'air d'un con, voilà pourquoi, rétorqua bruyamment Salter, qui ramassa son bloc-notes pour couper court à la discussion. Main-

tenant, dis-moi : où est-ce que j'ai bien pu entendre
parler de Pollock ?

— Je ne sais pas. Peut-être que, comme tout le
monde, tu as entendu parler de lui en tant que célèbre artiste.

Annie, hostile, avait une tête d'enterrement.

Pas de quoi s'en faire. Elle s'en remettrait.

— Bien, merci. Maintenant, que signifie « baigner
dans la soumission domestique » ?

— Ça veut dire qu'un mari aime tendrement sa
femme. Pourquoi ?

— J'ai entendu un gars qualifier sa vie de cette
manière. Maintenant, dis-moi ce que…

Mais Annie était partie.

Plus tard, au lit, elle lui demanda :

— Charlie, as-tu couché avec une autre femme,
récemment ?

Il l'empoigna de manière faussement brutale :

— Je n'ai couché avec absolument aucune femme
récemment.

Elle attrapa sa main et le repoussa.

— Je ne suis pas vraiment surprise si c'est comme
ça que tu t'y prends.

Elle s'assit et enleva sa chemise de nuit.

— Essaie d'être un peu tendre, dit-elle.

Par la suite, elle demanda :

— Au fait, tu ne m'as pas répondu ?

— Quoi ? rétorqua-t-il. Quoi ? Oh, juste ciel !
Endors-toi.

◆

Le mercredi matin, Salter appela Montréal.
O'Brien était à son bureau.

—Salut, *Honree*. C'est Charlie Salter. J'ai fait ma tournée et à mon avis, le gars qu'on recherche est à Montréal. Apparemment, Summers fêtait quelque chose et jetait son argent par les fenêtres. En plus, il était ivre, même avant de se mettre au whisky. Je pense que quelqu'un l'a suivi quand il est rentré à l'hôtel et l'a tabassé pour lui prendre son argent. Puis a paniqué.

—Tu as interrogé toutes les personnes qui étaient avec lui ?

—Oui. Et ça fait du monde. Je vois bien une possibilité, mais je pense toujours que c'est une prostituée et un proxénète.

—Est-ce qu'il a passé la nuit, comment dit-on, à faire les bars ?

—Plus ou moins. Mais ils ne sont allés que dans trois endroits : la Maison Victor Hugo, The Iron Horse et Les Jardins du Paradis. Comment est mon accent ?

—Mauvais, Charlie, mais je connais ces endroits. Entendu. Je vais mettre quelques hommes là-dessus. À ton avis, quel bar est le plus probable ?

—Les Jardins du Paradis. Ils y étaient entre neuf et dix heures et à mon avis, le tueur aussi.

—OK. Tu as vu tout le monde ?

—Non, non. L'enterrement est cet après-midi. Je vais y aller. Et je veux aussi aller à ce club de squash où il passait tant de temps. Et puis il y a sa femme, que je vais voir demain. Ah oui, j'ai trouvé qui est Jane : tu te souviens, le mot, dans son casier ? C'est une vieille copine, apparemment. Je ne pense pas trouver grand-chose de ce côté.

—Et les numéros de téléphone, sur le petit morceau de papier, dans son portefeuille ?

—Rien pour le moment. Je vais m'en occuper aujourd'hui. Mais je continue de croire que c'est à Montréal qu'il faut chercher le criminel.

—OK, Charlie. Tout ça te prend pas mal de temps.

—Du temps, je n'en manque pas, *Honree*. On se reparle plus tard.

Salter raccrocha et se tourna vers le sergent Gatenby.

—Frank, pourrais-tu dire à Chieffie que cette affaire de Montréal se poursuit et que je suppose qu'il veut que je reste dessus? Ah, et puis... (Il prit la corbeille «arrivée» qui était sur son bureau, dans laquelle s'empilaient des petites courses à faire pour d'autres services.) Retourne-moi tout ça à l'envoyeur en disant que je suis très occupé. Et ne prends rien d'autre.

—Rien du tout? C'est qu'ils ont pris l'habitude qu'on fasse leur surplus de travail.

—Eh bien, il faudra qu'ils perdent cette habitude. Ils peuvent trouver tout seuls comment se débarrasser du crottin de cheval excédentaire des écuries centrales. J'ai mieux à faire.

—Le bonheur est dans l'action, conclut Gatenby.

Il adorait ce genre de baratin vieillot. Cette fois-là, il avait raison.

La cérémonie funèbre eut lieu dans un salon funéraire situé dans Yonge Street, entre un marchand de poisson-frites et une brasserie. À l'arrivée de Salter, une dizaine de personnes étaient assises en silence devant le cercueil clos. Il reconnut la veuve et sa fille; elles étaient pâles mais ne pleuraient pas, vêtues sobrement mais pas en noir. Pollock était là, accompagné de Marika Tils ; toutes les personnes que Salter avait interrogées et quelques autres, probablement du Département d'anglais, étaient assises en groupe. Il y avait un homme en retrait, quelques rangées derrière, et une fille d'une vingtaine d'années, au dernier rang. L'enterrement avait lieu dans l'intimité ; seuls les plus déterminés étaient venus. Le service était anglican, sans éloge funèbre, et fut rapidement expédié. Lorsque la petite assemblée se dispersa, Salter intercepta l'inconnu sur le trottoir et se présenta.

— Vous étiez un ami du professeur Summers, monsieur ? s'enquit-il.

Contrairement aux autres, l'homme parlait à la veuve avec naturel.

— Pas vraiment. Je jouais au squash avec lui, c'est tout. Il va falloir que je trouve un autre partenaire, maintenant.

Costume de ville d'été et cravate sombre, cheveux légèrement plus courts que ne le prescrivait la mode : l'archétype presque anonyme de Bay Street, bien que la chemise fût bon marché et les chaussures, trop usées. Son comportement laissait entendre qu'il n'avait qu'une envie, s'en aller, comme si l'enterrement avait été un devoir de la pire espèce. Salter lui demanda :

— À qui ai-je l'honneur, monsieur ?

L'homme, qui s'éloignait déjà, s'arrêta, revint sur ses pas et se contenta de regarder continuellement autour de lui comme s'il attendait qu'une voiture vînt le chercher.

— Bailey, dit-il. Arthur Bailey. On m'appelle Bill, à cause de la chanson.

— Et vous étiez son partenaire de squash ?

—C'est ça. Il jouait avec d'autres personnes, cependant. Mais j'étais son partenaire le plus régulier, je pense.

Bailey avait désespérément envie de partir et du coin de l'œil, Salter remarqua la jeune fille du dernier rang qui disait au revoir à Pollock et à Marika Tils. Il lança donc :

—C'est un moment difficile, monsieur Bailey. Je pourrais peut-être venir vous voir demain ?

—Je ne sais pas grand-chose de lui, inspecteur. Je ne connaissais même pas sa femme. Je ne faisais que jouer au squash avec lui.

—Dans une situation comme celle-là, il est utile d'en savoir autant que possible sur la victime. Peut-être pourrez-vous me dire pourquoi il a éprouvé cette passion soudaine pour le squash, monsieur Bailey. Où puis-je vous trouver ?

L'homme semblait au supplice.

—Au club de squash, à quatre heures, avant ma partie ? proposa-t-il. C'est peut-être tard. Je dois aller à notre usine d'Oakville demain.

La fille semblait prendre congé.

—Parfait, acquiesça Salter. Je voulais justement jeter un coup d'œil au club. Où pourrai-je vous attendre ?

—Au bar.

Bailey faisait à nouveau demi-tour.

—Merci, monsieur Bailey. J'y serai.

Salter se tourna et se précipita sur la fille au moment précis où elle s'apprêtait à partir.

—Excusez-moi, mademoiselle. Puis-je vous dire un mot ?

Le professeur Pollock traversa le trottoir et les présenta :

— Molly Tripp, une étudiante de Summers, inspecteur Salter.

Merci beaucoup, pensa Salter. *Maintenant, fous le camp.*

Pollock prit le temps de tirer plusieurs fois sur sa pipe avant de se rendre compte que Salter attendait qu'il parte. Il fit contre mauvaise fortune bon cœur en invitant la fille à venir prendre un café quand elle le voudrait et les laissa.

Elle avait versé quelques larmes, mais s'était ressaisie.

— Que me voulez-vous, inspecteur?

— J'essaie d'apprendre tout sur le professeur Summers, mademoiselle. Vous êtes la première étudiante sur laquelle je peux mettre la main. Que diriez-vous d'un café?

— Ça me ferait du bien de boire quelque chose. (Elle regarda la brasserie.) Je préférerais une bière.

Salter entra le premier dans l'établissement.

— Vous deviez être très attachée au professeur Summers, commença Salter quand les bières furent servies.

La fille déboutonna son imperméable et ôta les manches. Elle portait un chandail gris et une jupe sombre. Ses cheveux frisés semblaient ne pas avoir été peignés.

— Il me manquera, dit-elle. Il me montrait des choses et il m'aimait bien.

— C'était un bon professeur?

— Non. Certains étudiants ne l'aimaient pas. Moi, oui. Et quelques autres aussi.

— Pourquoi?

— J'aimais sa façon de se passionner pour la poésie, notamment la poésie romantique. C'est lui qui m'a fait prendre conscience que la poésie est écrite dans une langue différente, que ce n'est pas seulement de la prose qui rime. Je suppose que beaucoup de gens le savaient déjà, mais pas moi.

La poésie romantique…

— Les poèmes d'amour, vous voulez dire? demanda-t-il innocemment.

— Non, non. Je parle de poésie de l'époque romantique. Wordsworth et Keats, principalement, pour lui.

— Pourquoi est-ce que les autres ne l'aimaient pas?

— Ils disaient qu'ils n'arrivaient pas à prendre des notes convenables. Ils voulaient davantage de données historiques. Ses cours n'étaient pas très structurés. Et il y avait certains des trucs dont il nous parlait qu'il n'avait pas compris lui-même. Mais il l'avouait, conclut-elle plus pour elle-même, répétant apparemment un vieil argument.

— Je veux savoir quel genre de personne il était. Vous-même, le connaissiez-vous?

— Personnellement?

— Oui.

— Un peu. J'allais le voir à son bureau une fois de temps en temps pour bavarder. Comme je vous l'ai dit, il m'aimait bien et nous passions de bons moments à parler de trucs.

— Est-ce qu'il s'intéressait à vous?

— Il pensait que j'étais capable d'écrire une vraie dissertation, comme il disait. J'ai tout fait pour. Il y a quelques semaines, il m'a dit que la première page de ma dernière dissertation était la meilleure première page qu'il ait vue de toute l'année. Ça ne m'a quand même valu qu'un B+!

Pendant qu'elle parlait, Salter commanda deux autres bières. Il comprenait pourquoi Molly Tripp plaisait à Summers. Il avait très peu de questions à lui poser, mais un très grand désir de prolonger ce moment avec elle et de la regarder s'animer. Elle était d'agréable compagnie.

— Pourquoi votre dissertation était-elle si bonne ? Enfin, la première page.

— Je l'ai relue cet après-midi. On aurait dit que c'était lui qui l'avait écrite, vous voyez ?

Elle souriait comme si Salter et elle étaient en train de discuter d'un ami commun.

— Alors comme ça, vous étiez une bonne étudiante ?

— Ouais, je suppose. Oh, merde, je vois où vous voulez en venir. Non, il n'a pas essayé de m'enlever ma petite culotte. Ce n'était pas un peloteur.

C'est ce que je voulais savoir, pensa Salter. *Mais je pourrais bien avoir tout foutu en l'air*. Il simula la perplexité :

— Hein ? lâcha-t-il.

— Nous parlions de poésie, c'est tout. Parfois de trucs personnels, mais pas souvent.

Salter réfléchissait à un moyen de dissimuler son intérêt et de donner à sa question une apparence officielle.

— Il n'était donc pas dans les habitudes du professeur Summers de séduire ses étudiantes ?

Voilà. C'était comment ? Beau et pompeux ?

— Ciel, non ! Oh, il y avait bien quelque chose dans l'air quand j'étais dans son bureau, inspecteur. Mais n'est-ce pas toujours le cas entre un homme et une femme ?

Salter passa en revue quelques femmes de sa connaissance et en conclut que non. Il hocha la tête en signe d'acquiescement.

—Les autres disaient qu'il avait l'œil sur moi la moitié du temps pendant les cours, reprit Molly, mais je pense que c'était sa manière de prendre le pouls de la classe. Il me regardait pour savoir si ce qu'il disait avait du sens. Je l'aimais bien, moi aussi. Une fois, je l'ai embrassé.

—Quand ?

—La dernière fois que je l'ai vu. La semaine dernière. Il venait de me dire qu'il m'avait accordé un A pour le cours grâce à mon examen. Il était aussi content que moi, alors je lui ai donné une grosse bise à un moment où il ne regardait pas.

—Comment a-t-il réagi ?

—Il est resté assis avec un air content. Bon, maintenant, j'aimerais partir.

Elle se leva. Les larmes ruisselaient sur son visage.

—Où puis-je vous trouver ? lui demanda Salter. Juste au cas où.

—Là. (Elle lui donna une carte de visite.) J'ai commencé à travailler lundi comme assistante du directeur artistique adjoint d'une agence de publicité, et j'ai déjà des cartes de visite. (Elle boucla la ceinture de son imperméable.) J'espère que vous trouverez qui a fait ça, inspecteur. Au fait, comment vous appelez-vous ?

—Salter, dit-il, pris de court. Charlie Salter.

—Eh bien, bonne chance, Charlie.

Ils quittèrent la brasserie et Salter la regarda s'éloigner. Elle marchait à longues enjambées et elle légèrement voûtée, comme pour résister au vent.

En tournant au coin de la rue, elle vit qu'il était encore là et lui fit un signe. Salter la salua à son tour et feignit de chercher ses clés de voiture. Il décida qu'il devait la revoir.

◆

Le soir, après souper, Annie déclara :

— J'ai invité ton père à manger avec nous dimanche.

Seth émit un grognement théâtral.

— Je vais louper Walt Disney. Il n'aime pas que la télé soit allumée.

Angus ajouta :

— Je dois faire ma dissertation à la bibliothèque principale dimanche. J'irai prendre un hamburger au McDo.

Il y eut un silence : tout le monde attendait que Salter commence à crier.

Annie dit précipitamment :

— Tu peux regarder Walt Disney en haut. Et tu peux rentrer à la maison à six heures, Angus. Ton grand-père ne vient qu'une fois par mois.

— Mais cette dissertation est vraiment importante, maman. En plus, je n'aime pas l'agneau, renchérit Angus.

— Moi non plus, annonça Seth. Je déteste l'agneau et tout ça.

— Je ne ferai pas nécessairement de l'agneau, rétorqua Annie.

Gardant son sang-froid, Salter dit alors :

— On peut avoir le choix, bœuf ou agneau.

— On ne pourrait pas avoir du saumon poché avec ce délicieux truc blanc dessus ? répliqua Angus.

— Tu sais pertinemment que ton grand-père ne mange pas de saumon.

— Des lasagnes, alors.

— Ni aucun plat italien. Ni français, ni grec, ni chinois. Maintenant, ça suffit, vous deux. On aura du rôti de bœuf, et vous aimerez ça, et vous pourrez regarder la télé en haut, pas fort. Après lui avoir dit bonjour.

— Walt Disney n'est pas terrible en noir et blanc.

— Bon ! Ne le regarde pas, alors. Maintenant, taisez-vous, vous deux.

Il y avait un vrai choc des cultures chez les Salter. Contrairement à la famille d'Annie, prévenante et obligeante, le père de Salter était un misanthrope dont l'étroitesse d'esprit empirait avec l'âge. Quand il regardait la télévision, il pestait contre ce qu'il qualifiait de « maudites balivernes américaines » et il allait à la taverne située au bout de sa rue pour râler en compagnie d'un ou deux copains. Ancien préposé à l'entretien à la Commission des transports de Toronto, il s'était, à la retraite, installé dans un minuscule appartement de l'est de la ville, à proximité du garage des tramways. Ils le voyaient très peu, parce que chaque visite était une vraie épreuve. Salter lui téléphonait une fois par semaine et allait le voir chaque fois qu'il passait dans son quartier. Annie, toutefois, mettait un point d'honneur à s'acquitter de ses devoirs envers lui et il partageait leur repas dominical une fois par mois. Elle avait essayé sur lui tous les mets délicats de son répertoire et il les mangeait en faisant le même commentaire : « C'est très bon, je suppose, mais j'aime avoir un vrai dîner le dimanche. Charlie aussi, autrefois. » Un vrai dîner, c'était un repas avec jus de viande et crème anglaise. Annie avait tout essayé pour le distraire, mais ses visites étaient tristes. La principale difficulté consistait à ne pas réagir à ses préjugés en présence des enfants. Il était antisémite depuis sa jeunesse et, par la suite, il avait développé un préjugé à l'égard de toutes les races et classes sauf les siennes, celles d'un Anglo-Saxon pauvre. Aucune visite n'était complète sans références à «eux autres, les Juifs», aux « yeux bridés » ou aux « négros » qui étaient responsables du marasme de sa condition sociale et financière. Il guettait chez Annie le moindre signe d'encouragement et critiquait continuellement le comportement des garçons jusqu'à ce qu'il déclenche une réaction violente chez Annie ou Salter. Après une petite dispute, il se taisait, satisfait, et concluait par une remarque du genre : «Désolé. Je voulais juste vous rendre service.» Un jour, il avait surpris Angus en kilt (une autre tradition familiale qu'Annie avait importée à Toronto). Le vieil homme en avait été offensé de plusieurs façons : cela avait heurté son préjugé anti-écossais et il avait dit tout haut à Salter qu'il se demandait si le jeune homme n'était pas en train de devenir « une pédale».

Salter coupa court à la conversation et sortit son bloc-notes.

—J'ai quelques coups de fil à passer, dit-il. Merci de me laisser le téléphone pendant une demi-heure.

Les garçons disparurent sans cesser de rouspéter et Salter s'assit devant l'appareil. Il regarda en premier lieu la liste de chiffres qu'il avait recopiée du morceau de papier trouvé dans le portefeuille de Summers.

—Est-ce que ces chiffres te disent quelque chose ? demanda-t-il à sa femme. Il y en a qui ressemblent à des numéros de téléphone, mais pas les autres.

Il lui tendit la liste.

Elle l'étudia un moment.

— Attends une minute, dit-elle. C'est bien ce que je pensais. Celui-ci, c'est son numéro de compte chez Eaton. Celui-là, le numéro qu'il utilisait pour retirer de l'argent à un de ces guichets automatiques. Ces deux-là, ce sont des numéros de téléphone. Celui-là, je ne sais pas. On dirait une combinaison de cadenas.

— Bravo. Maintenant, tout ce que j'ai à faire, c'est d'appeler à ces deux numéros, et je saurai tout sur sa vie privée.

— Tu as déjà une petite idée ?

— La même depuis le début. Ça m'a tout l'air qu'il s'est fait descendre accidentellement par une prostituée ou son souteneur. Entre-temps, je me suis intéressé au gars et j'essaie de savoir quel genre de personne il était, juste au cas où nous aurions affaire à un de ces meurtriers intelligents, avec mobile et tout ce qui s'ensuit. Jusqu'à présent, j'ai découvert que ce n'était pas un mauvais professeur et qu'il y avait des gens qui l'appréciaient et d'autres non. Au Département d'anglais, il avait un ennemi juré et deux bons amis.

— Des hommes ?

— Un homme et une femme. Il y avait aussi une étudiante qui l'aimait bien. Et une femme avec laquelle il buvait un verre une fois par an quand il était en déplacement. C'est tout.

— Est-ce que la femme du département l'aimait beaucoup ?

Salter grinça des dents. La remarque d'Annie était motivée par le problème qu'il y avait toujours eu entre eux. Elle était la femme que tout homme pouvait rêver d'avoir, n'eût été la jalousie qui la consumait en permanence et qui était en partie due à cette époque mouvementée. Selon Annie, plus personne n'était fidèle : elle était donc toujours sur le qui-vive, car elle redoutait la possibilité que son mari, qu'elle considérait comme la perle rare, lui soit volé par une autre femme. Comme Salter l'avait un jour dit à une femme dont il avait conservé l'amitié en dépit de l'hostilité d'Annie : « Ses amies lui disent qu'elle a vraiment de la chance que je ne baise pas avec tout ce qui bouge et pour elle, ça signifie qu'elles seraient toutes prêtes à s'allonger si je le leur demandais. Elles sont toutes divorcées et ça la rend nerveuse. » En fait, Salter n'avait été infidèle (avec cette même amie) qu'une seule fois, et il mentait tellement mal qu'Annie avait tout de suite eu des soupçons. Après cet épisode, il avait trouvé que la fidélité était le plus confortable des modes de vie. Il aimait sa femme et il souhaitait qu'elle se détende. Mais quand il essayait de le lui dire, elle se contentait de rétorquer : « Si je me détends, tu risques d'en faire autant. » Comme son amie lui avait fait remarquer, c'était probablement vrai.

Annie demanda :

— Ils n'étaient pas amants, alors ?

— Elle dit que non, répondit Salter.

— Tu le lui as demandé ?

— Je suis flic, cria-t-il. J'essaie de découvrir qui a tué un homme. Il faut commencer par trouver qui pourrait le vouloir.

— Est-elle séduisante ?

Oh, fait chier.

—Le truc intéressant, poursuivit-il, c'est que j'apprécie tous ceux qui l'aimaient bien, hommes, femmes et enfants. Mais je n'ai pas beaucoup de sympathie pour les autres. Cela ne veut pas dire que cette femme m'a fait bander, ni que Summers la sautait dans la bibliothèque après la fermeture. Ça veut juste dire que j'aurais pu apprécier Summers, moi aussi.

—C'est bon, Charlie, passe tes coups de fil.

Le premier appel fut embarrassant. Le numéro s'avéra être celui du partenaire de squash de Summers, Bailey, que Salter avait vu à l'enterrement.

—Désolé, monsieur Bailey. Je voulais juste confirmer notre rendez-vous. Quatre heures, demain, au club? Merci. À demain, alors.

Personne ne décrocha au deuxième numéro. Salter consulta son bloc-notes et fit un autre appel.

—Madame Homer? Madame Jane Homer? Inspecteur Salter, de la police métropolitaine. J'aimerais vous parler au sujet du professeur Summers. Je crois que vous étiez en contact avec lui à Montréal.

La voix était pâteuse et tendue.

—Oui. Mais je ne l'ai pas vu. Que voulez-vous?

—Vous parler, je vous prie. Principalement au sujet du passé de Summers. Puis-je venir vous voir à votre bureau dans la matinée?

—Entendu. J'y suis vers dix heures. Je suis la directrice des étudiantes de Wollstonecraft Hall, dans Harbor Street.

—Je trouverai. À dix heures, donc. Parfait.

Salter consulta un autre morceau de papier, la note d'hôtel de Summers, qui mentionnait deux appels qu'il avait faits le vendredi après-midi. Aucune réponse au premier numéro. Au second,

Salter tomba sur un message enregistré disant que les bureaux étaient fermés et qu'il pouvait rappeler le lendemain. C'était donc cela. Salter rangea son bloc-notes et monta dans la salle de couture de sa femme, où elle conservait tous ses vieux livres du collège. Il trouva ce qu'il cherchait, le deuxième tome d'une anthologie de poésie, qu'il feuilleta à la recherche de Wordsworth et de Keats. Le premier poème de Wordsworth qu'il trouva faisait une cinquantaine de pages. Il continua de chercher jusqu'à ce qu'il en découvre un de moins de cent mots. Lentement, d'une voix hésitante, il en apprit par cœur les deux premiers vers, soit quatorze mots. Lorsqu'il les sut avec certitude, il passa à Keats. Là encore, il eut du mal à dénicher un poème conforme à ses critères ; il choisit donc arbitrairement le dernier poème, dans la dernière strophe duquel il releva deux vers qui avaient l'air « poétiques ». Il entreprit également de les apprendre. Plus difficilement, ceux-là, parce qu'il n'était pas sûr de ce qu'ils voulaient dire. Il était assis là à marmonner lorsque sa femme apparut.

— Que se passe-t-il, Charlie ? demanda-t-elle, les yeux rivés sur le livre.

— C'est Summers, dit-il, légèrement confus. Il était spécialisé en poésie romantique. J'étais juste en train d'essayer de voir de quoi il retourne. Pas très gai, n'est-ce pas ?

Il affecta un sourire.

— Avec qui as-tu parlé, aujourd'hui ?

— Oh, pour l'amour du ciel ! s'écria-t-il. Je ne fais qu'entrer dans la tête de la victime, c'est tout.

Elle eut l'air surprise de sa réaction, mais n'insista pas davantage. Elle se contenta d'attraper l'objet qu'elle était venue chercher et redescendit.

Salter attendit qu'elle soit hors de portée de voix et revint à ses devoirs. Il savait son Wordsworth sur le bout des doigts, mais il dut marmonner ses deux vers de Keats pendant cinq minutes encore avant d'être sûr de les connaître par cœur.

CHAPITRE 4

Le lendemain matin, au bureau, Gatenby accueillit Salter avec un message du surintendant.

— Il veut que vous lui disiez où vous en êtes avec ce dossier de Montréal, lui annonça-t-il.

— J'ai un rendez-vous à dix heures. Est-il libre tout de suite ?

— Il a dit qu'il serait là toute la matinée. Il avait vraiment hâte d'avoir de vos nouvelles.

— C'est bon. J'y vais maintenant. Je serai absent pour le restant de la journée.

— Une tasse de café, vite fait, d'abord ? J'en ai pour une minute.

— D'accord.

— Un petit peu de sucre, juste pour atténuer l'amertume ?

Salter avait récemment essayé de se mettre au régime. Gatenby manifestait son intérêt en le soumettant constamment à la tentation, comme une vieille mamie les poches pleines de bonbons que les enfants n'auraient pas le droit de manger.

— Non, Frank, répondit Salter sans une once d'irritation. Annie a dit que je ne devais pas.

◆

Le surintendant Orliff n'était pas un ami de Salter, mais il n'était pas non plus un ennemi. Le surintendant n'avait pas d'ennemis, situation à laquelle il était parvenu en gardant ses distances avec quiconque faisait des vagues. C'était un homme petit et soigné sur le bureau duquel s'alignaient des dizaines de piles de papiers bien rangées, dont chacune représentait un aspect de son travail. Il gardait des dossiers sur tout, y compris les transactions verbales, et chaque pile croissait jusqu'à ce que le projet correspondant fût ou semblât (car Orliff était un homme méticuleux) achevé ; elle rejoignait alors les autres sur les étagères qui couvraient les murs de son bureau. Par la suite, les piles étaient rangées dans des classeurs, mais pas avant qu'elles n'aient été inactives pendant longtemps. Orliff se considérait comme un fonctionnaire cerné par des politiciens et, bien qu'on lui demandât fréquemment son opinion, il la donnait rarement, car il préférait se limiter à livrer des renseignements. Il ne se laissait pas submerger par son travail (l'une des piles de son bureau contenait des documents sur son régime de retraite ; une autre concernait l'avancement des travaux de construction de son chalet), mais il le mettait scrupuleusement en dossiers. Tandis que les diverses factions de l'organisme qui l'employait se groupaient et se regroupaient, il restait en retrait, disponible, prêt pour toute promotion. Ses supérieurs pouvaient se fier à sa loyauté et ses subordonnés savaient qu'il n'avait pas de favori. Lorsque son prédécesseur avait été promu, il avait pris sans regimber les fonctions de surintendant.

Pour l'heure, il était assis dans son bureau à attendre que Salter lui fasse son compte rendu.

Salter commença :

— Pour le moment, cela paraît être une agression. Il me reste encore quelques personnes à interroger, mais les gens que j'ai vus jusqu'à présent ne font pas des suspects très crédibles.

Orliff indiqua du doigt la transcription de Montréal.

— Pas de vol, fit-il.

— Pas de vol, admit Salter. Mais ils ont sans doute paniqué. Les prostituées qui font ça ne sont pas des meurtrières. Peut-être qu'elle avait un nouveau petit ami qui a voulu faire de l'épate.

— Ils sont du même avis, à Montréal ?

— Je parle tous les jours avec le sergent O'Brien. Il préférerait que je trouve ici un assassin avec un beau mobile, mais, oui, il recherche un couple qui correspondrait.

— Bon. Un professeur d'anglais d'âge mûr va à un colloque, a une petite aventure et tire le mauvais numéro.

— C'est ça, monsieur. C'est drôle, parce qu'il avait justement dit à tout le monde que c'était son jour de chance.

— Que voulait-il dire par là ?

— Je ne sais pas encore.

— Hum. Donc, quelqu'un voit un *party* de profs un peu paquetés, notre homme qui jette l'argent par les fenêtres et des danseuses nues, vous avez dit ? (Orliff adressa un sourire de complicité masculine à Salter.) Vous savez comme moi qu'en tant qu'homme d'âge mûr, il ne peut pas résister à une jeune fille ; il laisse donc tomber ses amis et se trouve une prostituée. Pas très difficilement, parce qu'elle l'a déjà repéré et qu'elle attend son signal, peut-être ont-ils déjà arrangé ça pendant que ses amis regardaient ailleurs. De retour à l'hôtel, elle se déshabille, ils prennent un verre, le petit ami arrive. Notre homme proteste, il menace peut-être d'appeler la police, on ne sait jamais, et tout le monde panique. Le petit ami le descend et là, c'est la vraie panique. C'est ça ?

— C'est ce que je pense, monsieur. Quelque chose comme ça.

— Où est le problème ?

Il n'y avait aucune trace d'agressivité dans la voix du surintendant. S'il y avait un problème, il ne voulait pas que Salter se couvre de ridicule.

— Je ne suis pas entièrement convaincu. Il y a là quelque chose de tordu. Il avait trop bu. Vous savez comme moi, monsieur, que vu son âge, il n'avait probablement qu'une envie, celle d'aller se coucher.

— Il était professeur. Peut-être qu'ils tiennent le coup plus longtemps.

Orliff sourit pour montrer qu'il plaisantait.

— Personne à l'hôtel n'a vu de prostituée, monsieur.

— Comme je vous l'ai dit, il était professeur. Donc, astucieux. Il a dû la faire passer incognito, c'est tout.

— Même en étant ivre ?

— Bien sûr.

— C'est possible, monsieur, mais ça ne marche pas. Ça manque de vraisemblance.

— Répétez-moi ça.

— Vraisemblance, monsieur. Ça veut dire « crédibilité ».

— Je le sais, bon Dieu ! Vous voulez dire que c'est peut-être vrai, mais que ça ne fonctionnerait pas ?

—Eh bien, oui, mais dans ce cas précis, je pense que ça veut dire que ce n'est peut-être pas vrai.

—Pour moi, ça veut dire la même chose, dit aimablement Orliff.

—C'est probablement vrai, mais…

—Quoi encore ?

—J'essaie juste de me mettre à la place de notre homme. Me voilà à Montréal, je suis content parce que je viens d'avoir un coup de chance – pour n'importe quoi, mais c'est probablement une question d'argent parce que j'invite les gars à dîner et il y en a pour cent trente dollars. À mon avis, les professeurs sont des gens radins. Donc voilà, j'ai pas mal bu et je me sens heureux chaque fois que je pense à ma chance, quelle qu'elle soit. Est-ce que j'aurais envie d'une prostituée ? Là, tout de suite ? Je ne crois pas. Je pense que Summers s'est contenté de rentrer à l'hôtel en taxi.

—Je vois. La psychologie. Après avoir gagné aux courses, on a envie de fêter, pas de baiser.

—En gros, c'est ça, monsieur.

—Je ne sais pas, Salter. Je n'ai jamais gagné une grosse somme d'argent. Par contre, je peux dire que les danseuses m'excitent, pas vous ? En tout cas, c'est ce qu'elles sont censées faire.

—Eh bien, oui, monsieur, et je pense que c'est aussi l'effet que ça a fait aux autres et que c'est pour ça qu'ils émettent tous l'hypothèse que Summers a dû ramasser une prostituée. Mais…

—C'est bon, c'est bon. Quelle est donc votre théorie ?

—S'il y a eu une prostituée, monsieur, je pense que c'était plus tard, après qu'il s'est un peu dégrisé. Il aurait dû faire appel au groom, car il ne connaissait probablement pas de call-girl à Montréal, ni ailleurs. Et O'Brien affirme que le personnel de l'hôtel jure n'avoir rien vu ni entendu de tel.

— Alors, le groom ment, suggéra Orliff.

Salter sentit le poids de l'obscurantisme et de l'immobilisme s'abattre sur ses épaules. Il renonça.

— Entendu, monsieur. Je laisse tomber. Je vais appeler O'Brien et lui dire qu'on en reste là.

— Non, non. Je ne fais que mon travail. Je suis payé pour vous mener la vie dure. Quelle est la suite de votre contre-théorie ?

— Il manque un maillon quelque part, probablement en relation avec son jour de chance. Son meurtrier, quel qu'il soit, l'a tué pour plus d'argent qu'il n'y en avait dans son portefeuille, ou par jalousie ou vengeance. Il a peut-être dit à quelqu'un pourquoi c'était son jour de chance.

— Ce type, Dunkley, il est fiché chez nous, vous dites ?

— Il a été arrêté une fois pour trouble de l'ordre public devant l'ambassade des États-Unis. Il participe à la plupart des manifestations.

— Ah, il est donc de ceux-là.

Orliff était modérément intéressé. Sa force était de n'éprouver aucune animosité à l'égard des citoyens qui essayaient de lui rendre la vie difficile, voleurs, violeurs et partisans de la désobéissance civile. « Sans eux, avait-il coutume de dire, certains d'entre nous seraient au chômage. » Il tripota le rapport pendant quelques instants.

— Vous voulez rester là-dessus ? demanda-t-il. On n'est pas débordés, en ce moment.

Et tu peux toujours te passer de moi, de toute façon, pensa Salter.

—Oui, répondit-il. Jusqu'à ce que j'en découvre davantage sur Summers et sa chance.

—Il y a beaucoup d'autres possibilités?

—Je ne me suis pas encore entretenu avec sa femme. Et puis, il y a cette Jane Homer. Je dois aussi parler avec ses copains du club de squash. Je veux au moins avoir une meilleure idée de l'homme qui s'est fait tuer et du genre d'homme qui aurait pu le tuer.

—D'accord. Mais ne me réservez pas de surprises. Tenez-moi au courant.

Salter se dirigea vers la porte avant qu'Orliff ne reprenne la parole.

—Au fait, ce n'est pas inintéressant, cette histoire. J'ai parlé avec le chef adjoint, à Montréal. D'après lui, O'Brien dit le plus grand bien de vous. Je l'ai répété à notre chef adjoint. Il était content, parce qu'on leur doit un service, à Montréal. Ça ne vous causerait pas de tort si cette histoire nous permettait d'être quittes.

Salter comprit. Il était tout bonnement possible, s'il avait de la chance, qu'il achève sa traversée du désert et regagne les terres fertiles, de l'autre côté.

◆

Il avait encore du temps avant son rendez-vous avec Jane Homer, aussi alla-t-il prendre une tasse de café à la cantine, ce qu'il faisait rarement. La seule autre personne présente était un inspecteur de la section des homicides que Salter avait un peu connu autrefois. Ils s'adressèrent un signe de tête et Salter s'assit à sa table.

—Qu'est-ce que tu deviens, Charlie? s'enquit le détective plutôt aimablement.

Il s'appelait Harry Wycke et Charlie n'avait aucune raison de le croire hostile. Ils ne s'étaient jamais heurtés et désormais, la plupart de ses anciens ennemis, pas plus que ses anciens copains, ne s'inquiétaient vraiment de lui, mais il présumait qu'ils savouraient encore sa mort professionnelle. Annie prétendait qu'il était paranoïaque, ce à quoi Salter rétorquait que même l'agent chargé des archives n'accordait qu'une faible attention à ses demandes de renseignements quand il était débordé.

—J'enquête sur un meurtre. À Montréal, répondit Salter.

—Et comment ça se présente ?

—Un professeur de Toronto s'est fait tuer là-bas. Je donne un coup de main.

Était-ce un problème ? Est-ce qu'il empiétait sur les plates-bandes des homicides ?

—Un vrai merdier. Que fais-tu, exactement ?

—Je pense que je suis censé trouver un mobile. Juste au cas où quelqu'un d'ici aurait pu faire le coup.

—Sa femme ? Sa maîtresse ?

—Pas sa femme. Et il n'y a pas de maîtresse, apparemment. Il a été descendu dans une chambre d'hôtel.

—Une prostituée, peut-être ?

—Ou un proxénète. Ça a l'air possible, mais ils ont laissé sur place un portefeuille plein d'argent.

—Ils ont eu peur. Avait-il des ennemis ?

—C'est ce que je dois découvrir. Jusqu'à maintenant, je n'ai trouvé personne qui ressemble à un meurtrier.

—De quoi les meurtriers ont-ils l'air, Charlie ? Ceux que je connais sont tous différents. Ça ne pourrait pas être un tueur professionnel ?

—Tu penses à la mafia? Nom de Dieu, je ne pense pas. Il était professeur, quand même. Et puis, ils ne commencent pas par un avertissement, comme venir te casser les jambes?

—Ils ne font plus ça maintenant. Trop de publicité. Aujourd'hui, ils se contentent de laisser une petite bombe devant ta porte. Comme ça, ça pourrait être n'importe qui, sauf si tu es à l'intérieur et que tu sais qui l'a envoyée.

—Par contre, ce type jouait aux jeux de hasard, Harry. Tu penses qu'un bookmaker aurait pu faire ça?

Wycke se mit à rire.

—Non, je plaisantais. Eh bien, je te souhaite bonne chance, Charlie. La plupart des meurtriers sont faciles à attraper: tu les trouves à deux coins de rue, couverts de sang. Les plus réfléchis, eux, peuvent donner du fil à retordre. Comment ça se fait qu'on t'a confié l'affaire?

—Sans doute que vous étiez débordés, vous autres. Et je me contente de donner un coup de main, répondit Salter, jovial.

—C'est vrai qu'on est débordés. On a sans doute jeté un coup d'œil avant de mettre ça de côté. En tout cas, si tu as besoin d'aide, n'hésite pas.

—Merci.

Salter savourait avec bonheur les délices de la confraternité.

—Tout ça est nouveau pour moi. Je serai peut-être content de pouvoir crier « à l'aide » si je ne m'en sors pas.

—Quand tu veux. Tu sais où est mon bureau. (Wycke finit son café et se leva.) Je ne te ferai pas d'entourloupe.

Salter comprit ; une onde de gratitude l'envahit. Il avait été bien seul, ces derniers temps.

— Merci, dit-il. Merci.

◆

Wollstonecraft Hall était une bâtisse de grès rouge située dans Harbor Street, construite pour protéger les jeunes filles des dangers de la ville lorsqu'elles n'étaient pas en classe. Mais dans les années soixante, contraint d'évoluer avec l'époque, l'établissement était devenu une résidence mixte. En traversant les pavillons, Salter croisa à peu près autant de jeunes gens que de jeunes filles, bavardant en groupes ou en couples et, dans un cas, s'embrassant fougueusement comme si la guerre venait d'être déclarée.

Le bureau de la directrice des étudiantes était ouvert ; Salter repoussa la porte et entra. Une secrétaire leva les yeux de sa machine à écrire et il se présenta. C'était la jeune fille la plus terne qu'il ait vue depuis longtemps ; on aurait dit qu'elle avait été recrutée pour son absence de beauté par les premiers administrateurs puritains de la résidence. Ses minuscules lunettes rondes cerclées de fer reposaient en équilibre sur le bout de son nez ; ses épais cheveux blonds étaient coupés au carré, juste à la hauteur du lobe de ses oreilles ; elle portait un sarrau marron qui ressemblait à un linceul. Salter était horrifié et piteux.

— Madame Homer est-elle là ? demanda-t-il. Elle attend ma visite.

La jeune fille se leva, ôta ses lunettes et sourit, se transformant en héroïne de comédie musicale. Elle avait de belles dents et quand elle était debout, le linceul soulignait une silhouette parfaite. *C'est un style*, pensa Salter. *C'est fait exprès*.

La secrétaire entra dans le bureau intérieur et réapparut, arborant encore un merveilleux sourire.

— Madame Homer me fait dire que vous pouvez entrer, annonça-t-elle.

Elle chaussa ses lunettes et retourna prendre sa pose de vieille sorcière devant sa machine à écrire.

Madame Homer lui réservait une autre surprise : âgée d'environ trente-cinq ans, elle avait les cheveux dorés. Elle portait un ensemble de jean couleur chamois, un chemisier à rayures marron et blanches, des bracelets en or à chaque bras, des anneaux en or aux oreilles et des chaussures en tapisserie. Salter crut tout d'abord qu'elle était bronzée, mais, en s'approchant pour lui serrer la main, il se rendit compte qu'elle était si couverte de taches de rousseur que ces dernières avaient l'air vivantes et qu'elle semblait cligner des paupières pour qu'elles ne lui entrent pas dans les yeux. Salter, qui s'était attendu à rencontrer une matrone grisonnante en chaussures de golf, se retrouva à danser d'un pied sur l'autre.

— Aimeriez-vous une tasse de café ? demanda-t-elle.

— Volontiers, merci.

Il y avait deux fauteuils devant une table basse : il prit place dans celui qu'elle lui indiquait. Sa surprise crût encore lorsque, au lieu d'appeler sa secrétaire, elle se rendit à une table contre le mur et remplit deux tasses à un percolateur. *Ah oui*, pensat-il. *Les secrétaires ne font plus le café, de nos jours, surtout celles qui sont à la lisière du mouvement féministe*.

La pièce était un soulagement après l'utilitarisme du Douglas College. L'un des murs était entièrement recouvert de photographies de toutes sortes. Sur un autre était accrochée une chose encadrée faite de morceaux de tissu. Le bureau consistait en une épaisse plaque de verre posée sur deux tréteaux. Salter eut le temps de détailler tout cela avant qu'elle n'apporte les cafés.

Penchée au-dessus de sa tasse, elle attendait qu'il commençât. Salter lui montra la note, qu'elle regarda à peine.

— Oui, c'est moi qui l'ai écrite. J'avais oublié. C'est pour ça que vous êtes là ? Je n'ai finalement pas vu le professeur Summers.

— Étiez-vous l'une de ses amies ?

— Je l'ai été. David était un ancien collègue. J'ai enseigné au Douglas College pendant que je faisais ma thèse.

— Il y a combien de temps ?

— Six ans. J'ai eu mon doctorat il y a cinq ans, puis j'ai obtenu ce poste.

— Le voyiez-vous souvent à Toronto ?

— Non, jamais. Sauf par hasard, bien sûr.

— Mais vous aviez pris des dispositions pour le rencontrer pendant le colloque ?

— À des colloques comme ça, on se retrouve avec des gens qu'on ne voit pas autrement. Je prenais souvent un verre avec les gens du Douglas College.

— Le professeur Summers et vous étiez-vous dans le même domaine ? demanda Salter, fort de ses connaissances récemment acquises.

— Comment ? Oh, non. Mon domaine, ce sont les journaux féminins.

— Comme *Châtelaine* ? demanda Salter, surpris de voir ce que recouvrait la littérature anglaise.

— Non, non. Les journaux intimes. Je me suis d'abord intéressée à Dorothy Wordsworth et je suis partie de là. De fait, David s'intéressait à mon sujet de thèse, qui portait sur les journaux en tant que genre littéraire. Je crois qu'il a commencé à tenir un journal à cause de moi, mais je ne l'ai jamais lu.

— Je verrai ça, alors. Vous êtes arrivée au colloque et vous avez laissé une note dans son casier. N'était-il pas dans sa chambre ? À quelle heure avez-vous déposé la note ?

— Environ six heures. Non, ça ne répondait pas dans sa chambre.

— Et c'est le seul contact que vous avez eu avec lui ?

— Oui.

Elle alla remplir sa tasse.

— Combien de temps êtes-vous restée à Montréal ?

— Je suis partie samedi après-midi, avec les gens du Douglas College. Tout le monde a appris à la pause-déjeuner ce qui s'était passé. J'étais trop bouleversée pour rester. Et puis, des gens qui ne le connaissaient pas parlaient de ça comme si c'était un événement excitant, comme l'assassinat d'un président.

Elle reposa sa tasse, qui heurta la soucoupe.

— Je vois. C'est tout, alors. Vous n'avez rien d'autre à me dire ?

Elle secoua la tête puis se mit à trembler, d'abord légèrement, puis violemment. Quand elle commença à claquer des dents, Salter appela la secrétaire, qui entra en courant et la tint dans ses bras jusqu'à ce que le tremblement s'apaisât.

— Je suis désolée, dit la directrice lorsqu'elle retrouva suffisamment ses esprits. Il semble que je sois dans un état pitoyable.

— C'est le contrecoup, sans doute, répliqua Salter.
Vous devriez vous aliter et appeler un médecin. Si
j'ai encore besoin de vous, je le ferai savoir à votre
secrétaire.

Dans l'antichambre, Salter demanda à la secrétaire :

— Cela s'est-il déjà produit ?

— Oui, souvent. C'est quasiment ininterrompu
depuis son retour de Montréal. Je pensais qu'elle
allait bien aujourd'hui, mais vous avez provoqué
une crise.

— Je ne m'étais pas aperçu qu'elle était si fragile,
mademoiselle.

— Elle ne l'est pas. Je ne sais pas pourquoi c'est
si dur pour elle.

Salter partit. *La directrice des étudiantes réagit
de façon excessive à un interrogatoire de routine*,
pensa-t-il. *Pourquoi ?*

◆

Cela faisait longtemps que Salter n'était pas rentré
à la maison pour déjeuner. Dès le début de son
mariage, il avait associé cela aux « nooners », qui
faisaient l'amour pendant la journée, de préférence
par terre. Est-ce que les jeunes policiers faisaient
encore ça ? Annie et lui ne l'avaient pas fait depuis
des années, mais là, elle était debout devant l'évier ;
il lui entoura la taille de ses bras et la serra dans
une étreinte qui était bien plus qu'amicale. Elle se
retourna, toujours dans ses bras, et le regarda, ef-
frayée et inquiète mais partante.

— Si tu veux, déclara-t-elle. Mais je dois baisser
le feu sous ma casserole.

— Au diable la casserole, murmura Salter, resserrant son étreinte.

— D'accord, dit-elle.

Il la relâcha.

— On se reprendra plus tard, promit-il.

— Qui as-tu interrogé aujourd'hui ? demanda-t-elle, soupçonneuse.

— Juste une vieille toupie qui surveille la morale des jeunes filles. C'est toi qui m'excites.

Une fois qu'ils furent attablés devant leurs soupes et leurs sandwiches, il parla. Il en arriva à la directrice des étudiantes.

— Elle est hystérique et elle ment, sans doute parce qu'elle a peur, dit-il. Mais je ne sais pas pourquoi. Je ne pense pas que ce soit une criminelle.

— Mais alors, pourquoi est-elle si bouleversée ?

— Je ne sais pas encore. Quoi que ce soit, c'est en relation avec Summers.

Avant son départ, Annie le questionna sur les vacances. Il se sentait d'humeur magnanime :

— Organise ça comme tu veux, répondit-il. Les garçons seront contents et je n'ai pas de meilleure proposition.

— Que t'arrive-t-il ces temps-ci, Charlie ?

— Je suis occupé, déclara-t-il avant d'ouvrir la porte.

En sortant, il faillit heurter une petite femme aux cheveux foncés en tablier qui commença à hurler à son intention :

— Vous monsieur Salter ? demanda-t-elle. Venez vite. La dame moi travailler pour va se faire tuer. Venez vite !

Annie réapparut, sortant de la cuisine.

—C'est Rosa, la femme de ménage de madame Cannings. Vite, Charlie. Il se passe sûrement quelque chose.

C'était l'un des inconvénients d'être policier.

Salter et Annie suivirent la femme de ménage au trot et traversèrent trois jardins avant de parvenir à la maison de madame Cannings. Ils trouvèrent cette dernière dans un coin de la cuisine, terrifiée, agrippant fermement ses deux jeunes enfants.

—Il est en haut, dit-elle. Dans la chambre de devant.

Salter monta précautionneusement les marches en direction du premier étage puis traversa le couloir jusqu'à la chambre en question. La porte était fermée : Salter cria à travers sans obtenir de réponse. Il l'ouvrit donc à la volée et se recula. Rien ne se produisit. Salter s'approcha de l'encadrement de la porte et jeta un coup d'œil circulaire dans la pièce. Tous les rideaux avaient été tirés, de sorte que seule une sombre lueur orange permettait d'y voir quelque chose, mais il n'était pas nécessaire d'y voir davantage pour constater que la chambre avait été saccagée. La pièce servait aussi de bureau : le sol disparaissait sous cinquante centimètres de livres et de tout le bric-à-brac – pendules, miroirs, cendriers, lampes – qui était auparavant sur les tables et les étagères. Dans le grand lit double, sous les couvertures, se trouvait un jeune géant, les yeux ouverts dardés sur Salter.

—Mais que diable pensez-vous être en train de faire ? lança Salter.

—Vous n'avez pas le droit d'entrer, répondit le garçon. C'est ma chambre.

Salter sortit, referma la porte derrière lui et appela madame Cannings, qui était toujours en bas :

—Que se passe-t-il? s'enquit-il. Il dit que c'est sa chambre.

—Mais non, c'est ma chambre, à moi. À moi et à Albert. C'est ma maison, à moi. Il est apparu il y a à peine une demi-heure et m'a demandé si j'avais un élevage de bébés. Il est en maillot de bain.

Madame Cannings était presque démente.

—J'ai dû lui parler sans arrêt jusqu'à ce que Rosa revienne, reprit-elle. Je ne l'ai jamais vu avant.

Annie, à côté d'elle, lança:

—Il doit être fou, Charlie. Sois prudent.

—Appelle Frank, lui dit Salter. Explique-lui ce qui se passe. Dis-lui qu'il nous faut une voiture et deux hommes costauds. Je vais rester ici.

Pendant qu'ils attendaient les renforts, madame Cannings se calma un peu et émit une hypothèse sur la provenance de l'intrus:

—Nous louons le deuxième étage à une fille de Radio-Canada. Il devait être là-haut. Il est sans doute descendu quand elle est partie ce matin.

—Appelez-la, suggéra Salter.

Une minute plus tard, c'était confirmé: il était arrivé d'Europe la veille et avait été hébergé pour la nuit au deuxième étage. Il avait semblé très fatigué, mais la fille n'avait rien remarqué d'étrange chez lui.

Très vite, la voiture de patrouille arriva; outre deux agents s'y trouvait aussi Gatenby en personne.

—Vous n'y voyez pas d'inconvénient, n'est-ce pas, patron? demanda-t-il sur le ton d'un enfant qui implorerait la permission de se coucher tard. Je ne suis pas sorti du bureau depuis des mois.

L'escouade d'assaut fut formée dans le corridor du premier étage. Salter exposa la situation et les deux policiers sortirent leur arme, ce qui provoqua des cris d'effroi chez les femmes, qui étaient dans l'escalier ; mais ils se contentèrent de mettre les cartouches dans leurs poches avant de rengainer. L'un des agents dit quelque chose à Salter, puis ce dernier se tourna vers sa femme :

—Ils ne lui feront aucun mal, dit-il. Mais il se pourrait qu'ils doivent le tenir fermement, voire lui passer les menottes pour qu'ils ne soient pas blessés, eux. Tu devrais retourner dans la cuisine.

Alors qu'ils s'apprêtaient à traverser le couloir, Gatenby les arrêta :

—Laissez-moi essayer d'abord, fit-il. Je vais peut-être pouvoir lui parler.

Les autres eurent l'air dubitatifs, mais Gatenby insista.

—Y a-t-il une robe de chambre dans la pièce, madame ? demanda-t-il en direction du rez-de-chaussée.

—À la porte, répondit-elle.

—Entendu.

Gatenby se tourna vers les autres :

—Venez me chercher si je braille, lança-t-il avec un clin d'œil avant d'entrer dans la chambre, dont il referma la porte derrière lui.

On entendit un murmure de voix venant de la chambre. L'un des agents demanda à Salter :

—Vous êtes sûr qu'il va bien, monsieur ? Il semble un peu vieux pour ce genre de choses.

—Je ne sais foutrement pas de quoi il est capable, dit sèchement Salter. Donnons-lui cinq minutes, après quoi on entre.

Mais une minute plus tard, Gatenby réapparaissait en compagnie du garçon, à présent vêtu d'un minuscule peignoir à rayures. Gatenby avait passé un bras autour de ses épaules et lui parlait d'un ton apaisant, comme une vieille mamie :

— Voilà, on s'en va. On va juste descendre les escaliers, c'est tout. Ensuite, on va sortir pour aller dans la voiture et on va se rendre dans un endroit où quelqu'un va pouvoir s'occuper de toi.

Salter, qui les précédait, ouvrit la porte de la voiture de patrouille tandis que Gatenby demandait au garçon de s'y asseoir, puis fermait gentiment la porte derrière lui.

— Il est à vous, les gars, dit-il. Emmenez-le chez les capotés. Et ne lui criez pas après.

Les policiers se regardèrent puis se tournèrent vers Salter, qui haussa les épaules :

— Emmenez-le, les gars, confirma-t-il.

Pendant le trajet vers le bureau, Salter et Gatenby restèrent silencieux puis, après qu'ils eurent franchi quelques coins de rue, Salter demanda :

— C'est bon, Frank. Que diable as-tu foutu là-dedans ?

— J'ai utilisé la psychologie, chef, répondit Gatenby avec un petit rire joyeux. J'avais compris que ce n'était qu'un gamin, alors je me suis approché du lit et je lui ai tout de suite demandé : « Est-ce que tu aimes ta maman ? » Il m'a dit : « Oui. » Alors j'ai continué : « Eh bien, si tu aimes ta maman, elle t'aime aussi, alors viens, lève-toi, et on va aller voir si on peut la trouver. »

Salter attendit.

— Et c'est tout ? finit-il par dire.

— C'est tout. Il s'est levé, doux comme un agneau, il a mis cette robe de chambre, et voilà.

— Nom de Dieu, lâcha Salter après une longue pause. Nom de nom de Dieu !

◆

Une fois l'intermède clos, Salter se remit à ruminer l'affaire Summers. Qu'est-ce qu'O'Brien attendait de lui ? Qu'il pose des questions en regardant ses interlocuteurs dans le blanc des yeux pour voir qui mentait. Bon. Qui, alors ? A priori, pensait-il, tout le monde sauf Usher. Mais sur quoi mentaient-ils ? D'abord, Carrier. Il était possible que Carrier ait naturellement l'air d'une fouine, mais il agissait de toute évidence comme un homme qui avait un secret. Comme un meurtrier ? Peu probable. Marika Tils ? Encore moins probable et, pourtant, elle avait cherché à éluder ses questions vers la fin.

Dunkley demeurait le suspect de choix. Difficile de dire s'il mentait, parce que tout ce qu'il disait sentait le dogme rabâché. C'était un homme de principes ou un connard de moralisateur, selon la manière dont on le percevait, mais était-il suspect pour autant ? Mentirait-il ou, encore moins, tuerait-il par principe ?

Restait Jane Homer, la directrice des étudiantes. Voilà encore quelqu'un qui ne disait pas tout, mais quelle histoire cachait-elle ? Summers avait-il essayé de la violer, après toutes ces années ? Très peu probable. Si elle savait quelque chose qui aurait pu l'aider, elle l'aurait sûrement dit. Elle et Summers étaient de vieux amis.

Et Summers ? Il avait bu, il avait vu un spectacle de danseuses, il était en robe de chambre, il y avait du rouge à lèvres sur le verre et c'était son jour de chance. N'importe quel détective célèbre aurait ré-solu cela en cinq minutes, mais tout ce que Salter avait à proposer, c'était la solution classique « pros-tituée et proxénète ». En attendant, il pensait à tout ce qu'il avait à faire avant de retourner nettoyer

Yonge Street. Par exemple, jeter un coup d'œil à la scène du crime. Et revoir Molly Tripp.

Dès leur retour au bureau, Gatenby prit leurs messages.

—Ils ont tous appelé, déclara-t-il comme s'il lisait une histoire à un enfant de quatre ans. Chieffie, Deecee, le flic de *froggieland*. Pas de courrier, par contre.

Merveilleux. Pas une seule corvée ou demande débile en trois jours. Était-ce vraiment le bout du tunnel? En fait, le chef se faisait le secrétaire du surintendant; il demandait si une copie écrite du rapport sur l'affaire de Montréal allait suivre. Le chef adjoint voulait savoir s'il avait besoin d'aide. Il en déduisait que le chef adjoint s'intéressait à l'affaire à laquelle il travaillait. Dommage qu'il n'arrivât à rien, même s'il s'amusait bien. Il appela O'Brien.

—J'ai interrogé tout le monde dans le coin, Charlie. On se souvient de l'avoir vu dans les bars, mais c'est tout. Je crois que j'ai parlé à tous les gars fichés qui étaient aux Jardins du Paradis en même temps que Summers, mais je n'ai rien trouvé de louche.

—Le personnel de l'hôtel se rappelle quelque chose?

—Je les interroge tous les jours, juste par habitude et aussi pour voir s'ils retrouvent la mémoire. Rien. Pourquoi ne viendrais-tu pas essayer toi-même?

—C'est ta paroisse, *Honree*, objecta Salter, tout en pensant: *Pourquoi pas?*

—Ma quoi? demanda O'Brien.

—Ta paroisse. Ton territoire, expliqua Salter.

— Ah oui. *Mon fief**.

— Ça doit être ça, *Honree*, mais j'y pense : je vais peut-être venir. Pas pour t'apporter du renfort, juste pour me faire une idée de ce qui s'est passé vendredi soir. Quand es-tu libre ?

— Lundi, ce serait bien.

— Parfait. J'arriverai par le train de l'après-midi.

— J'irai te chercher, Charlie. Tu n'auras qu'à me guetter.

À trois heures trente, Salter partit en direction du club de squash.

◆

Salter avait conscience de la préoccupation émergente pour la santé qui avait rempli les rues de Toronto d'hommes et de femmes trottinant en short et créé une industrie vouée à vendre la forme physique. L'essor phénoménal des sports de raquette, notamment du squash, était l'un des produits de cette préoccupation. Annie lui avait plus d'une fois expliqué que ce sport était susceptible de répondre à son besoin d'exercice. Salter regarda sa bedaine qui prenait de l'ampleur et s'entendit s'essouffler dans les escaliers ; il avait caressé l'idée de pratiquer ce sport, mais son irrépressible souci de n'avoir l'air idiot en aucune circonstance l'avait empêché de se renseigner davantage jusque-là. Il avait à présent une raison officielle d'entrer dans l'un des nouveaux clubs et il lui tardait de satisfaire sa curiosité personnelle.

Le Simcoe Squash Club était situé à la limite de la zone commerciale du centre-ville de Toronto, qui était aussi le quartier des affaires. Il était idéalement

placé pour qui voulait faire une partie en allant travailler ou sur le chemin du retour, et c'était de
bonne heure le matin, en fin d'après-midi et à la
pause-déjeuner qu'il était le plus fréquenté. Il était
établi dans un entrepôt reconverti et Salter le trouva
facilement, quelques minutes avant quatre heures,
en suivant le flux d'hommes porteurs de sacs de
sport qui convergeait vers l'imposant édifice de
briques.

Assise derrière un comptoir à l'entrée, une fille
contrôlait les membres à leur arrivée, confirmant les
réservations dans un registre et encaissant la location
des courts. Salter ne se présenta pas officiellement,
mais dit simplement :

— J'ai rendez-vous ici avec monsieur Bailey. Il
est membre.

Elle hocha la tête et, simultanément, décrocha le
téléphone.

— Suivez ces messieurs – Salut, Joe, c'était une
vraie fiesta, hier soir – descendez l'escalier – juste
une minute « Simcoe Squash Club, bonjour » – ne
quitte pas, Mary Lou, faut que je te parle – Gerry,
mais comment vas-tu donc ? – puis continuez jusqu'au bar – quitte pas une seconde – non, monsieur,
c'est complet pour quatre heures quarante – ne rac-
croche pas, Mary Lou – vous pourrez prendre une
tasse de café et – mais attends donc, Mary Lou ! –
OK ? Il vous verra dès son arrivée. OK ? – Bon
écoute, Mary Lou, tu sais ce qui est arrivé, hier soir ?

Salter préleva les bribes qui lui étaient destinées
et suivit la foule jusqu'à un grand espace garni de
tables et de chaises. La foule disparut ; les membres
franchissaient un par un une porte située dans le
coin opposé. Salter se trouva un siège et regarda

alentour. Deux par deux, une dizaine de membres
en tenue de sport, l'air plus ou moins épuisé et en
nage, buvaient de la bière. La plupart d'entre eux
étaient dans la vingtaine, mais deux hommes avaient
les cheveux blancs et dix ans de plus que Salter.
L'un des murs du bar était une paroi de verre cons-
tituant le mur arrière de deux courts. Sur l'un des
deux, une partie était en cours ; Salter essaya de la
suivre. Les joueurs bondissaient et couraient, frappant la balle à tour de rôle, sept ou huit fois, jusqu'à
ce qu'un des deux la manque. Comme il n'arrivait
pas à suivre la balle, Salter se concentrait plutôt sur
les joueurs, s'émerveillant de la manière dont ils se
couraient autour sans jamais se rentrer dedans et en
se touchant rarement. Pendant qu'il regardait, l'un
d'eux cassa sa raquette en deux en plongeant pour
aller chercher une balle dans le bas du mur. Ça avait
l'air d'un jeu onéreux. Serait-il capable d'y jouer ?
Athlète médiocre bien qu'enthousiaste dans sa jeunesse, Salter avait été réduit ces dernières années
au golf et encore, avec modération. Il avait renoncé
aux sports d'équipe, il détestait l'idée du jogging et
il ne parvenait pas à se concentrer plus d'une minute sur les exercices de gymnastique traditionnels.
En fait, il ne pratiquait aucune activité physique à
part le golf ; autant dire qu'il ne faisait rien du tout
pendant neuf mois sur douze. Il ressentait pourtant le
besoin de pratiquer un sport. Il avait l'impression
que ce jeu pouvait être la solution : une demi-heure
de frénésie compétitive permettant de retrouver la
forme ou de faire une crise cardiaque.

—Êtes-vous membre, monsieur ?

Le jeune athlète qui se tenait près de lui en tenue
de squash était manifestement un responsable.

Salter opta pour une touche de grossièreté :

—Non, répliqua-t-il. Et vous ?

—Je suis le professionnel du club, monsieur. L'après-midi, j'en suis aussi le directeur. Que puis-je faire pour vous ?

—J'attends monsieur Bailey.

—Ah oui. Le vieux Bill. Vous permettez que je m'assoie ?

Le pro tira une chaise.

—Vous envisagez de vous inscrire ?

—Je n'envisage rien du tout pour le moment, monsieur… ?

—Larry.

—Pour le moment, Larry, je regarde ces deux-là et j'attends ce bon vieux Bill.

—Est-ce que vous jouez au squash, monsieur… ?

—Salter. Charlie Salter.

—Y jouez-vous, Charlie ?

Salter continuait à se sentir offensé par ce garçon dont les boucles brunes lui cascadaient dans le dos et qui l'appelait par son prénom sans autorisation, mais ses manières dégagées de prêtre nouvel-âge le déconcertaient.

—Non. Je n'avais même jamais assisté à une partie avant aujourd'hui.

—Vous aimeriez que je vous explique le jeu ?

Non. Pourquoi faire ?

—Oui, répondit-il.

Larry lui donna un aperçu des objectifs du jeu, des stratégies élémentaires employées, puis un bref commentaire de la partie en cours. Salter était intrigué. Le pro lui proposa :

—Aimeriez-vous essayer ?

—Maintenant ?

— Pourquoi pas ?

— Je ne suis pas habillé pour.

— Je peux arranger ça. Nous avons des placards pleins d'affaires oubliées dans les laveuses. Toutes propres. Des chaussures, aussi. Et je vais vous trouver une raquette.

— Non, merci. Peut-être une autre fois.

— Demain ? Venez dans l'après-midi. Je vous donnerai un cours. Je vous ferai visiter.

— Pourquoi ?

— Si vous aimez ça, vous allez peut-être vous inscrire. Je touche une commission pour chaque personne que je recrute.

— Pas de secret avec vous, hein, Larry ? Combien est-ce que ça coûte ?

— Je ne vous ferai rien payer pour demain.

— Je sais. Je voulais dire pour le club, à l'année.

— Trois cents dollars la première année. Deux cents après ça.

— Et pour chaque partie ?

— L'utilisation des courts est gratuite, sauf entre onze heures trente et une heure trente, de même qu'après les heures de travail. Si vous jouez pendant la journée, ça ne vous coûtera rien.

— Avec qui pourrais-je jouer ?

— Ce n'est pas un problème. Il y a des tas de gens disponibles pour une partie.

— Des gens de mon âge ? demanda Salter timidement.

— Le doyen de nos membres a soixante-douze ans. Nous en avons beaucoup qui ont la cinquantaine ou la soixantaine.

— J'ai quarante-six ans.

— Aucun problème. Je vous vois demain, donc, vers trois heures.

—Hum… Je ne sais pas. Oui. Peut-être. Entendu. Je vous ferai savoir si je ne peux pas venir. Au fait (Salter regarda la pendule ; il lui restait cinq minutes.), connaissiez-vous bien monsieur Summers ?

Larry prit un air attristé.

—Oui. C'était un bon ami de Bill, bien sûr, c'est sûrement pour ça que vous le connaissez. C'est terrible, ce qui est arrivé.

Salter attendit que cela passe.

—Jouait-il beaucoup ? demanda-t-il.

—Tous les jours. Bill et lui se bagarraient tous les jours. Bill va être perdu sans lui.

—Se bagarraient ?

—Ils se démenaient sur le court. Ils ne jouaient pas très bien, mais ils n'y allaient pas de main morte ; on aurait dit qu'ils jouaient avec des battoirs. Le perdant payait.

—Payait quoi ?

—Ils jouaient toujours pour la bière. Le perdant payait la tournée. Salut, Susie, lança-t-il à une serveuse. Je te présente monsieur Salter, un ami de Dave Summers. J'étais justement en train de lui parler des parties mémorables qu'il jouait avec Bill Bailey.

La serveuse eut une expression affligée.

—Oh, ces deux-là avaient l'habitude de casser la baraque, vous savez. Et on savait toujours qui allait payer, genre. C'étaient de vrais gamins. Je veux dire, vous savez, pour des hommes, genre, d'âge mûr, c'était drôle de voir comme le perdant prenait ça mal. Surtout monsieur Bailey.

Elle leva les sourcils, secoua la tête, pinça les lèvres, regarda autour d'elle avec ostentation pour voir si quelqu'un pouvait entendre, tout pour indiquer que Bailey était mauvais perdant.

— Ils venaient tous les soirs, conclut-elle.

— Ont-ils joué la semaine dernière ?

— Oh, bien sûr. Ils ont joué jeudi soir, juste avant que monsieur Summers ne parte à Montréal.

— Qui a gagné ?

Salter se composa un visage empreint de piété chaleureuse et triste. Selon ses estimations, il devait lui rester environ deux questions avant que la serveuse et le pro ne lui demandent pourquoi il voulait savoir tout ça.

— Oh, eh bien, je ne me rappelle pas. Attendez une minute. Mais si : monsieur Summers doit avoir gagné, parce qu'il taquinait monsieur Bailey, vous savez, il faisait semblant de lui expliquer comment jouer. Mais attendez une minute : non, il ne pouvait pas avoir gagné puisque c'est lui qui a payé les consommations. Enfin je crois. Non. Oh, eh bien, je ne me souviens vraiment pas. Je suppose que c'est monsieur Bailey qui a payé, puisqu'il avait bel et bien perdu.

Elle déclama toute cette tirade sur le ton d'une dispute passionnée avec elle-même.

— Je vois que vous êtes arrivé avant moi, inspecteur.

Bailey était debout près de la table. Une fois que la signification de ses paroles fut parvenue aux deux autres, la serveuse déguerpit, terrifiée, et retourna au bar, où elle s'absorba dans une conversation avec le barman. Le pro, en revanche, le regarda d'un air moqueur :

— La fine fleur de Toronto, hein ? En service officiel ? J'imagine que le cours ne vous intéresse pas, finalement. Vous auriez pu me le dire, inspecteur.

— Non, non, je suis toujours preneur pour le cours. Est-ce que les flics sont autorisés à s'inscrire ?

—Notre club a pour clientèle les hommes qui travaillent au centre-ville. Ça devrait vous inclure.

—Je serai donc là demain, à trois heures.

Le pro inclina ses boucles dans une révérence gracieuse et prit congé, tel un dandy de la Restauration sur le point de glisser la fameuse réplique «*Anyone for tennis?*» au mauvais siècle.

Bailey s'assit.

—Vous songez à vous inscrire au club, inspecteur? dit-il trop gaiement.

Personne n'est à l'aise avec la police, pensa Salter.

—Je ne sais pas. Il m'a proposé d'essayer. Je devrais le faire.

Bailey prit un air faussement jovial :

—Si vous voulez vous entraîner, je pourrai jouer avec vous.

—Je suppose que vous allez devoir trouver un nouveau partenaire. Vous jouiez avec Summers tout le temps, m'avez-vous dit.

—Nous jouions beaucoup. Nous nous sommes rapprochés il y a quelques années et notre relation joue au yo-yo. Jouait, je veux dire. C'est difficile de commencer à y penser au passé.

—Avez-vous joué avec lui la semaine dernière?

—Oh, bien sûr. Tous les jours jusqu'à son départ.

—Qui a gagné jeudi? La serveuse nous a dit que vous aviez fait une fameuse partie.

Bailey réfléchit un moment, puis finit par répondre :

—C'est lui qui a gagné, je crois. Oui, c'est ça. Pourquoi?

—Je n'ai pas vraiment de raison, monsieur Bailey. Mais ça pourrait servir. Par exemple, toute la journée de vendredi, Summers a dit qu'il avait eu un jour de chance et il a payé une grosse addition au restaurant vendredi soir. Maintenant, si sa femme me dit qu'il se sentait très heureux jeudi soir, je saurai que ce n'était qu'à cause du squash et que ça n'avait rien à voir avec ce qui le rendait si heureux vendredi. Vous voyez ?

Salter fut fier de ce tissu d'âneries inventé sous l'inspiration du moment pour détourner l'attention de Bailey. La raison en était que plus il en apprendrait sur les relations de Summers, plus il en saurait sur Summers lui-même. Cela incluait le fait de savoir s'il était bon perdant ou non et quel genre de gagnant il était également.

Un autre homme s'approcha de la table ; la cinquantaine, chauve comme un œuf à l'exception d'une frange, le visage paisible et bienveillant d'un comptable satisfait. Il était rasé de près et sa frange était coupée de manière à lui donner un air ecclésiastique. Il détonnait parmi les jeunes courtiers en Bourse et avocats, mais il semblait parfaitement à l'aise.

— Nous étions en train de parler de David, Percy, l'informa Bailey. Voici l'inspecteur Salter. Je vous présente Percy. Percy Cranmer.

Ce dernier avait des mains de fermier ; il agrippa chaleureusement la main de Salter.

— C'est très triste, assura-t-il. Comment ça se passe dans sa famille ? Laisse-t-il des enfants en bas âge ? Et sa femme, ça va ?

— Je crois que oui, monsieur Cranmer. Il n'avait qu'une seule fille, et elle est au collège.

— C'est vrai ? Nous ne savons pas grand-chose les uns des autres, ici, en dehors du squash. Je n'ai jamais rencontré la femme de Dave.

Bailey se leva.

— Nous avons une partie, inspecteur, si vous avez terminé.

— J'ai terminé, monsieur Bailey. Merci beaucoup. Si j'ai besoin de vous revoir, je saurai où vous trouver.

— Comme le disait Percy, inspecteur, nous ne savons pas grand-chose les uns des autres, ici. Je n'en aurai pas beaucoup plus à vous dire sur ce bon vieux Dave.

— Je parlais de cet entraînement que vous avez évoqué. Si je m'inscris au club.

— Oh! Bien sûr, inspecteur. Quand vous voulez. Allez viens, Percy.

Cranmer lança :

— Bonne chance, inspecteur. J'espère que vous attraperez ce type. Pauvre vieux Dave.

Salter ne partit pas immédiatement. Dix minutes après que les deux hommes l'eurent quitté, il trouva la cage d'escalier qui desservait les courts et il monta. Les courts étaient répartis sur trois niveaux, par groupes de huit, soit un total de vingt-quatre. À l'un des étages supérieurs, Salter trouva une galerie qui surplombait les courts. Il s'y arrêta pour regarder. Bailey et Cranmer jouaient dans l'un des courts du fond ; en se mettant en retrait, il pouvait les observer sans qu'ils le voient. À sa grande surprise, le comptable rustaud avait un jeu tout en finesse, fait de petits coups et de touchers délicats. Bailey cognait la balle chaque fois qu'il avait un coup franc. D'après la fréquence des changements de service, Salter jugea que les deux hommes étaient à peu près à égalité. Et comparés aux joueurs que Salter avaient regardés depuis le bar, ils étaient aussi très mauvais. Bailey ratait constamment la balle et Cranmer n'était efficace que lorsqu'il pouvait l'envoyer d'un petit mouvement rapide frapper le mur frontal. Ils se heurtaient sans cesse et interféraient souvent dans les coups du partenaire. Bailey affichait le même air sérieux et féroce que les bons joueurs du rez-de-chaussée, tandis que Cranmer arborait en permanence son sourire paternel. Salter conclut qu'il serait capable de battre l'un ou l'autre en une semaine.

◆

Il était cinq heures, juste la bonne heure pour passer un coup de téléphone à Molly Tripp, l'étudiante présente aux obsèques. Il eut de la chance : elle allait voir un film dans Bloor Street, mais elle accepta de prendre d'abord un sandwich en compagnie de Salter. Ils convinrent donc d'un rendez-vous dans un café de Cumberland Street.

Il arriva avant elle et commanda une bière. Le café était presque désert. Salter n'en voyait pas la raison ; il était en effet passé devant deux établissements semblables qui étaient pleins à craquer de gens qui se retrouvaient après le travail. Pendant qu'il s'interrogeait, Molly arriva.

— Salut ! lança-t-elle, plantée devant lui et souriant comme un enfant, sûre d'être bien accueillie. Elle portait un vieux jean et un sweat-shirt sous un ciré jaune.

Il se leva :

— Laissez-moi vous offrir un sandwich, proposa-t-il.

Il désigna le menu affiché sur le mur, qui répertoriait une dizaine de sortes de sandwiches, dont aucune ne lui était familière.

— Je vais prendre un Reuben Reuben, décida-t-elle.

En passant la commande, il se sentit idiot.

— Qu'est-ce qu'un Reuben Reuben ? demanda-t-il.

— C'est un double Reuben, comme un double corned-beef sur seigle.

— Et un Reuben, qu'est-ce que c'est ?

— Oh, c'est délicieux. Corned-beef, fromage et choucroute.

— Hum. Vous prenez quelque chose à boire ? Une bière ?

— Non. Je vais prendre une gorgée de la vôtre, par contre.

Elle attrapa sa chope et but avidement. Salter regarda nerveusement autour de lui, mais personne ne semblait les regarder.

— Voilà, fit-elle. Super. J'adore la bière, mais j'ai envie de rester éveillée pendant le film. J'aimerais bien un café, par contre.

Il demanda les boissons et ils restèrent assis, face à face.

— Alors comme ça, vous vouliez me demander des trucs supplémentaires sur le professeur Summers ? amorça-t-elle. J'étais bouleversée hier, mais aujourd'hui, ça va.

— Oui, acquiesça Salter.

Ses cheveux, qui avaient l'air en désordre à l'enterrement, semblaient exactement comme il fallait. Étaient-ils « savamment ébouriffés », comme ça se disait ? Elle avait un visage agréable que quelques mimiques légèrement affectées rendaient plus attirant : elle écarquillait les yeux de surprise, baissait les coins de la bouche en signe de désespoir ou de déception, puis la joie illuminait brusquement ses traits. Et elle ne portait pas de soutien-gorge. Salter lui sourit :

—Oui, répéta-t-il. Comme je vous l'ai dit hier, j'essaie d'en apprendre autant que je peux sur Summers. Le genre d'homme que c'était. Tout ce que vous pourrez me dire sur lui.

—Bon, allons-y. Posez-moi des questions.

Elle lui adressa un sourire d'encouragement.

—Était-il un bon professeur ? lui redemanda Salter.

Et alors ? Tout ce qu'il voulait, c'était une excuse pour retenir cette fille.

—Vous me l'avez déjà demandé. Je vous l'ai déjà dit. Mais j'y ai repensé depuis. Je ne sais toujours pas. D'un côté, il connaissait sa matière, il l'aimait et il se passionnait pour. Mais de l'autre, il ne la présentait pas d'une manière facile à prendre en note, pour ceux qui aiment ça. Alors certains étudiants, surtout les filles, étaient un peu tendus au moment des examens.

—Elles ne tombaient pas amoureuses de lui ?

Pourquoi éprouvait-il de la jalousie ?

Elle éclata de rire :

—Vous retardez un peu, Charlie. Plus personne ne se pâme en classe, de nos jours.

—Et qu'est-ce qu'on fait, de nos jours ? On s'allonge dans le bureau du professeur entre les cours ?

Elle se recula sur sa chaise :

—Non. Généralement, on se contente d'attraper par les couilles ceux qui nous plaisent quand on les croise dans le couloir. À quoi ça rime, cette question ?

Salter avait l'impression de l'avoir blessée par dépit.

—Je suis désolé, dit-il. J'ignore comment les jeunes de votre génération se comportent à l'université de nos jours.

—Et à votre avis ?

—Je n'en sais rien. (Salter se sentait tout piteux.) On entend parler de professeurs qui font des partouzes, vous savez.

—Summers ne faisait pas de partouzes. Je vous l'ai dit, il enseignait la poésie.

Elle restait en retrait, à le regarder :

—Comment c'était, à votre époque ? Êtes-vous allé à l'université ?

—Pendant un moment. Écoutez : « *A slumber did my spirit seal ; I had no human fears.* »

Elle se rapprocha, souriante :

—C'est du Wordsworth. C'était l'un des préférés de Summers.

—Vraiment ? (Salter était prêt à tout pour regagner ses faveurs.) Un autre extrait : « *While barred clouds bloom the soft-dying day, And touch the stubble plains with rosy hue.* » C'est de Keats, proclama-t-il.

—« Ode à l'automne », précisa-t-elle. Bien. Il aimait celui-là aussi. Est-ce que tous les hommes sont romantiques ?

—Non, seulement moi. C'était mon cours préféré, mentit-il. J'ai laissé tomber l'université après la deuxième année.

Ils étaient presque ensemble de nouveau, légèrement excités par leur échange.

Le Reuben Reuben arriva et elle commença à manger tandis qu'il sirotait une autre bière. Ils se turent jusqu'à ce qu'elle ait mangé une bonne partie de son sandwich.

Puis :

—Il est bon ? demanda-t-il.

—Tenez, dit-elle en lui offrant de mordre dedans.

Il se pencha en avant pour attraper le coin du sandwich entre ses dents. *Si quelqu'un nous regarde*, pensa-t-il, *on croira que nous sommes en train de faire un remake du* Tom Jones *de Tony Richardson*.

—Pas mauvais, admit-il.

Il mâcha encore et avala une gorgée de bière.

—Bon. J'en ai donc appris sur les professeurs d'anglais et j'en sais un peu plus sur le professeur Summers. Dites-m'en davantage.

Elle réfléchit.

—Il était enthousiaste. Est-ce que je vous l'ai déjà dit ? Quelquefois, il allait plutôt loin et ce qu'il disait le mettait dans tous ses états.

—Il était très émotif ?

—Je pense que, d'une certaine manière, il cherchait à atteindre des sommets en classe.

—Comment ça ?

—Il aimait que la classe réagisse. Si on restait passifs, il n'était pas très bon. Il ne semblait pas avoir beaucoup de notes auxquelles se rattraper. Quand on ne réagissait pas beaucoup, on avait l'impression qu'il allait se contenter de conclure en vitesse et de passer à autre chose. Les mauvais jours, il pouvait traiter *Le Paradis perdu* en trente-cinq minutes.

—Les douze livres ? s'exclama Salter d'un ton suffisant.

Dans le cours qu'il avait suivi à l'université, seuls les deux premiers faisaient partie du programme, mais tout le monde savait qu'il y en avait dix autres.

—Oui. Mais il n'y arrivait pas toujours.

—Et en dehors des cours ?

—Que voulez-vous dire ?

Salter prit une grande inspiration. Par-dessus tout, il voulait éviter d'avoir l'air d'un vieux cochon, mais une partie de lui continuait à mener une enquête policière.

—Les étudiants savent parfois ce qui se passe hors de la classe, expliqua-t-il. Y avait-il des commérages sur Summers?

—Et voilà. C'est reparti.

Mais Salter avait réfléchi à sa question:

—C'est bon, dit-il. J'aimerais savoir si, à votre avis, il avait des amis proches ou des ennemis au collège.

—Ou des maîtresses.

—Ou des maîtresses.

—On se posait des questions sur une de ses collègues. Ne souriez pas bêtement comme ça, Charlie. Je parle sérieusement.

—Oui, moi aussi. Qui est-ce?

—Marika Tils. Ils se faisaient souvent la bise pour se dire bonjour ou au revoir.

—Tout le monde fait ça maintenant. Ça s'appelle le «baiser de salutation élisabéthain», précisa Salter, qui avait lu un article sur le sujet dans le journal du samedi.

—Ah bon. C'est ça. C'était donc une amie élisabéthaine, alors.

—Mais pas d'étudiantes?

—Je ne pense pas. Il avait probablement quelqu'un comme moi dans chaque classe. Mais comme je vous l'ai dit, il n'était question que de poésie.

—Pas d'ennemis?

—Pour autant que je sache, non. (Elle finit son sandwich et ramassa l'addition.) Le film commence dans vingt minutes, Charlie. Vous voulez venir?

Il lui prit l'addition des mains.

—Non, mais j'aimerais vous revoir.

Elle eut l'air abasourdie, puis se mit à rire :

—Pensez-vous que nous devrions continuer à nous voir comme ça ?

Reconnaissant, il se justifia :

—Quelquefois, de nouvelles questions se font jour et on aime bien pouvoir y revenir.

—Quand vous voudrez, Charlie, répliqua-t-elle.

Elle regarda la pendule.

—À mon tour ?

—Quoi ?

—C'est à mon tour. Une seule. Pourquoi êtes-vous devenu policier ?

Dis-lui la vérité. C'est ce qu'il fit, en s'imaginant qu'il parlait à un inconnu dans un pays étranger, quelqu'un qu'il ne reverrait jamais.

—J'en avais assez, avoua-t-il. J'avais laissé tomber l'université…

—Pourquoi ?

—Je passais mon temps à compter les briques du mur de la classe pendant que le prof expliquait pourquoi un poème que je n'avais pas lu était si spirituel. Ce n'était pas de sa faute. Je n'avais pas essayé de comprendre le poème parce qu'il me semblait écrit dans un code. Pour saisir les blagues, il faut connaître la Bible. Mais je faisais la même chose en histoire, en économie et en sociologie. Surtout en sociologie. J'étais sur le point d'échouer dans tous les cours, alors j'ai abandonné.

—Et ensuite ?

—J'avais envie d'action. J'ai essayé d'embarquer sur un bateau, mais il fallait être membre du Syndicat. S'il y avait eu la guerre, je me serais engagé

—Bien, affirma-t-elle. Bon, il faut que j'y aille.

Elle tendit la main en un geste étrangement formel.

—Encore une fois, Charlie, j'espère que vous l'attraperez.

Il n'avait pas fini sa bière ; il resta donc au café et la regarda traverser le parc de stationnement et passer entre les deux bâtisses en direction de Bloor Street.

◆

Après dîner, pris d'une profonde envie d'être agréable, il aida sa femme à faire la vaisselle, non sans en profiter pour l'embrasser dans le cou, un endroit qu'il adorait.

—Va-t'en, espèce d'obsédé, ou je te couvre de mousse, lui lança-t-elle.

Il lui jeta le torchon sur la tête pour lui bander les yeux, lui défit le bouton de son pantalon et parvint presque à en baisser complètement la fermeture éclair, se préparant à la prendre sauvagement et théâtralement, là, contre le frigo.

—« *Strange fits of passion I have known* », déclama-t-il.

—Pas si étranges que ça, répliqua-t-elle, se dérobant à son étreinte. Mais tu devras attendre. Dorothy doit venir d'à côté pour me montrer comment faire une nouvelle sorte de carré de patchwork.

Une demi-heure plus tard, alors qu'elle était montée chercher sa boîte à couture, elle le trouva devant le miroir, en slip-coquille.

Il ne parvint pas à prendre un air gêné, aussi risqua-t-elle une plaisanterie :

—Si tu veux enfiler mes sous-vêtements là-dessus, ne les déchire pas.

— Moi Thor, proclama-t-il en référence à un vieux jeu érotique. Pour votre information, madame, je vais jouer au squash demain.

— Avec ça?

— Et mes vieilles affaires de tennis. Sais-tu où elles sont?

— À quoi ça rime, tout ça?

— Je vais jouer au squash. Retrouver la forme, comme tu me l'as suggéré.

— Pourquoi maintenant? Qu'est-ce qui se passe?

— Oh, pour l'amour du ciel, il ne se passe rien du tout. J'ai simplement décidé d'essayer le squash, c'est tout.

Il lui raconta l'histoire de Bailey et du club et lui parla de sa curiosité au sujet de la passion de Summers pour ce jeu.

— Eh bien, amuse-toi bien. Mais vas-y mollo. (Elle jeta un coup d'œil sur sa bedaine naissante.) Je n'ai pas envie qu'une crise cardiaque me rende veuve.

— Tu penses que je suis trop vieux? demanda-t-il.

— Bien sûr que non, mon chéri.

Elle essaya de se rattraper en tirant sur son suspensoir puis en le faisant claquer sur lui.

— Fais une belle partie, lâcha-t-elle. Mais laisses-en un peu pour moi…

— Très drôle, espèce d'allumeuse.

Salter se retourna joyeusement vers le miroir. Il se sentait comme en vacances.

CHAPITRE 5

Quand il se réveilla, il souriait encore de son premier rêve agréable depuis un an. Il s'assit et s'agrippa au souvenir de ce moment plaisant avant que celui-ci ne s'évanouisse. Il était responsable d'un Centre mondial. Les gens venaient lui soumettre leurs problèmes. Il était le Centre mondial de Tous les problèmes. Des téléphones sonnaient. « Centre mondial, que puis-je faire pour vous ? » disait-il. Il les résolvait tous. Salter secoua Annie pour la réveiller :

— Je suis le Centre mondial, annonça-t-il. Que puis-je faire pour toi ?

— Jus d'orange, répondit-elle.

Elle enroula sa chemise de nuit autour de ses genoux et lui tourna le dos.

— Entendu, fit-il.

Il sauta hors du lit et alla chercher la commande.

◆

Il appréhendait d'interroger la femme de Summers ; il en avait retardé l'échéance autant que possible. Elle était à présent la dernière sur sa liste et il avait rendez-vous avec elle à dix heures ce matin-là. Sa maison était située dans Stouffville Avenue, dans une zone appelée Deer Park, à moins de deux kilomètres de chez lui. Il décida qu'il serait inutile qu'il aille auparavant au bureau. Il envisagea de traîner à la maison pendant une heure encore, mais comme cela lui vaudrait certainement d'être mis à contribution pour ficeler les journaux pour la collecte hebdomadaire, nettoyer les poubelles au désinfectant ou n'importe quelle autre corvée domestique qu'il accomplissait habituellement sans rechigner mais qu'il ne voulait pas qu'on lui demande de faire ce matin-là, il ne dit rien, quitta la maison à l'heure habituelle et se dirigea vertueusement vers la station de métro.

Il avait deux trajets possibles : l'un le menait dans les rues résidentielles de la classe moyenne supérieure en traversant le parc et en dépassant l'école de son fils. Une agréable promenade dans la verdure par une belle matinée de printemps. Mais Salter était un citadin : il aimait les boutiques, les gens et l'animation, aussi alla-t-il en direction de Yonge Street (la plus longue rue du Commonwealth) où il commença sa promenade par une marche parallèle au trafic de l'heure de pointe. Il acheta un journal et une tasse de café et s'assit dans la galerie marchande située à l'entrée du métro, savourant l'impression de sécher les cours pendant que la foule du matin s'engouffrait dans les escaliers. Quand il en eut assez, il jeta le journal dans une poubelle et traversa Eglinton Avenue en direction du sud. Il aimait particulièrement ce tronçon de la rue, bordé d'épiceries fines et asiatiques, où se trouvait aussi une quincaillerie tenue par six Australiens joviaux (étaient-ce plutôt des Néo-Zélandais ?). Il fit une halte devant chacun des trois magasins d'articles de sports et regarda en vitrine le prix des raquettes de squash. Puis, une fois encore, il se demanda comment les sept coiffeurs pouvaient bien gagner leur vie. Une autre station-service avait disparu au profit d'un restaurant-minute : c'était la troisième en quelques années. Trois autres restaurants avaient ouvert depuis la dernière fois qu'il avait compté, ainsi qu'une boutique qui ne vendait que du café, une autre, spécialisée dans la lingerie sexy, et une agence de voyages. *Temps difficiles ?* pensa Salter. *Cette ville pue l'argent.*

À la station de métro Davisville, il prit Chaplin Crescent jusque vers Oriole Park. Là, rien n'avait changé depuis dix ans. Les mêmes jeunes mères surveillaient les mêmes bébés qui marchaient à quatre pattes dans le bac à sable ; les mêmes personnes âgées étaient assises sur les bancs ; les mêmes hôtesses de l'air et travailleurs de nuit étaient étendus sur l'herbe, où ils s'efforçaient de commencer à bronzer. Tout était exactement comme à l'époque où Salter y emmenait jouer Angus et Seth, quand Annie se débrouillait pour lui coller les enfants dans les pattes pendant ses jours de repos. Et voilà les mêmes maudits propriétaires de chiens. Salter décida de faire son devoir.

— Hé ! vous ! cria-t-il au maître désinvolte d'un doberman qui gambadait dans le parc avant d'aller attaquer sauvagement l'un des enfants. C'est votre chien ? Mettez-lui une laisse et ne le laissez pas traîner ici sans surveillance. (Il montra son insigne.) Quel est son numéro d'immatriculation ? (Il sortit ostensiblement son bloc-notes pour le noter.) Bien, fit-il. N'oubliez pas, la prochaine fois.

Plus loin, dans le parc, il en vit un autre, un berger allemand, une race qu'il craignait presque autant qu'il la détestait. Il s'approcha de la propriétaire, une femme d'âge moyen qui portait un fichu, en train de fumer sous les arbres.

— Attachez ce chien, madame, hurla-t-il d'assez loin pour justifier son volume sonore. Il y a des enfants, ici, et c'est illégal de laisser votre chien en liberté.

— Allez au diable ! répliqua-t-elle. Qui êtes-vous ?

— Je suis inspecteur de police, répondit Salter en montrant son insigne. Nous avons eu des plaintes. Maîtrisez votre chien.

— Il est parfaitement maîtrisé. Il ne ferait pas de mal à une mouche, sauf si je lui en donnais l'ordre. (Le chien bondit et mordit Salter à la main.) Bien, dit Salter. Votre nom, je vous prie, madame, et le numéro d'immatriculation du chien. J'enverrai un homme chez vous avec la plainte.

— Maudit fouineur, maugréa-t-elle. Pourquoi n'allez-vous pas nettoyer Yonge Street au lieu d'importuner les honnêtes gens ?

— Je ne veux pas me disputer, madame. Attachez-le et gardez-le en laisse.

— Espèce de salaud de fouille-merde ! Viens, Luba.

Elle mit une laisse à son chien ; ce dernier la tira et ils s'éloignèrent tous deux dans un nuage de fumée et de jurons. Salter regarda autour de lui, mais les gens s'étaient donné le mot : tous les chiens étaient désormais tenus en laisse. Satisfait, il poursuivit son chemin, se disant comme toujours que ce n'étaient pas les chiens qu'il n'aimait pas, mais leurs maîtres.

Il se sentait plus prêt à rencontrer madame Summers.

Stouffville Avenue n'était qu'à quelques pâtés de maisons au sud du parc, de sorte que Salter arriva en avance à la maison des Summers. Il commença donc par traîner un peu de l'autre côté de la rue. La résidence des Summers lui parut être une authentique vieille maison qui avait été retapée, comme beaucoup d'autres dans ce quartier festonné d'enseignes de spécialistes de la rénovation et d'architectes. C'était une petite maison blanche et, de face, on aurait dit un vieux cottage ne comprenant qu'une chambre sous le toit. Mais de côté, Salter put voir qu'un ajout avait été bâti à l'arrière, ce qui ajoutait au moins deux chambres, l'une sur l'autre. La cour avant avait été creusée et murée de manière à permettre le stationnement d'une voiture, bien qu'il y ait eu une allée menant vers l'arrière de la maison. Salter y reconnut les symptômes de l'embourgeoisement de quelqu'un qui considérait une maison en parfait état comme une occasion de la démolir pour en faire quelque chose d'autre. Il avait lui-même souffert de ce syndrome quand Annie avait exigé plus (ou moins) de lumière, une salle de bains supplémentaire, une nouvelle cuisine et bien d'autres choses. Salter refusait de lever le petit doigt pour aider aux travaux; il arguait du fait qu'il était policier et non charpentier et il s'opposait aux coûts, mais Annie avait de toute façon trouvé l'argent et ne lui avait plus demandé de prêter main-forte. Les résultats étaient toujours plaisants, mais il résistait toujours farouchement à toute nouvelle suggestion.

Il se demandait combien de ces rénovations avaient été faites par Summers et à combien d'entre elles il avait dû se résigner. Salter traversa la rue et descendit l'allée qui menait à la palissade blanche qui fermait la cour arrière. De dos, une femme agenouillée tripotait une plante. Annie aurait approuvé la cour : une parcelle gazonnée centrale était entourée de nombreuses fleurs de toutes les couleurs, dont il lui semblait reconnaître plusieurs sortes, présentes dans sa propre cour arrière. Un nombre surprenant de ces fleurs était en fleur, alors que le gel sévissait encore en banlieue. Le gazon était jonché d'outils de jardinage. *Ça travaille fort, par ici,* songea Salter. Contre la maison se trouvait un petit jardin potager, dans lequel tomates et laitues parviendraient à maturité au moment même où ils ne coûteraient presque rien dans les marchés, argument que Salter donnait toujours pour justifier le fait qu'il ne plantait rien lui-même.

Il toussa : la femme leva les yeux. Elle était mince, âgée d'à peine cinquante ans, la tête ornée de jolis cheveux argent.

— Inspecteur Salter, annonça-t-il.

— Oui, je sais. Entrez, fit-elle en désignant le portillon.

Elle jeta son transplantoir sur l'herbe, où il rejoignit les autres outils, se débarrassa de ses gants et le fit entrer, par la porte arrière, dans une sorte de solarium meublé de rotin blanc.

— Par ici, l'invita-t-elle. Voulez-vous du café ou autre chose ?

Ce n'était pas une offre mais une demande visant à savoir si c'était pour lui l'heure du café, auquel cas il serait alors de son devoir d'en faire.

— Non, merci, refusa Salter.

Il attendit qu'elle s'asseye avant de prendre place en face d'elle.

— Verriez-vous un inconvénient à ce que je vous pose quelques questions sur votre mari ? commença-t-il.

— Posez-moi vos questions, j'y répondrai. J'ignore qui a tué David et pourquoi, et ça m'est égal. Cela n'a aucune importance pour moi.

Ça ne va pas être une partie de plaisir non plus, pensa Salter.

Il reprit :

— La police de Montréal nous a demandé de l'aider mais nous n'avons rien pour poursuivre.

Salter fit une pause. *Devrait-on dire « rien pour poursuivre avec ? » Que signifiait donc « rien pour poursuivre » ? Est-ce que cette question intéresserait le gros directeur de département ?*

Madame Summers attendait. Salter continua :

— On l'a trouvé dans une chambre d'hôtel avec le crâne défoncé après, apparemment, une bonne soirée passée avec ses collègues.

— Le crime parfait, alors. En quoi pourrais-je vous aider ? J'étais ici, dans mon lit.

Elle n'était pas tant hostile qu'indifférente, le regard sans cesse tourné vers le jardin.

— Il y avait un indice, m'dame.

— L'assassin a laissé tomber sa carte Esso ?

— Pas vraiment. Mais il y avait un verre portant des traces de rouge à lèvres dans la chambre.

Elle se tut, comme si Salter ne lui apprenait rien, et fixa le jardin.

Salter décida de lui donner le temps de réagir. Il regarda autour de lui, prenant mentalement note des détails de la pièce. Celle-ci était agréable et en désordre : une boîte de cirage semblait à sa place sur un meuble d'appui, le dessus du téléviseur servait d'espace de rangement à une pile de magazines et un torchon ornait le dos d'un fauteuil. La maison et le jardin donnaient l'impression d'avoir été abandonnés en plein travail, comme la *Marie-Céleste*.

Elle lâcha finalement :

— Comme ça, il y avait une femme dans sa chambre. Savez-vous qui c'était ?

— Nous l'ignorons, m'dame.

— Moi aussi.

— Cela ne vous surprend pas ?

— C'était un grand garçon. Il avait votre âge. Je vous laisse donc deviner.

— Je m'y efforce. Avait-il des amies dont vous aviez entendu parler ?

— Marika Tils. Il l'aimait bien, ça, c'est sûr.

— Quelqu'un d'autre ?

— Pas à ma connaissance, inspecteur. La semaine dernière, j'en aurais été certaine, mais maintenant, je ne sais plus. Vous autres, vous tombez sur toutes sortes de secrets, non ? Pour autant que je sache, ou que j'aie su, David n'avait pas de maîtresse et il n'allait pas non plus payer des prostituées pour qu'elles lui fassent des trucs que j'aurais refusé de lui faire. Ça vous va ?

— Ça m'est très utile.

— Bien. Notre vie sexuelle était assez satisfaisante et il m'avait suffisamment souvent pour que je sois à peu près sûre qu'il ne voyait personne d'autre à côté. Mais à votre âge, vous autres, les gars, vous devenez bizarres, à ce qu'on dit. Et donc, si vous recherchez une femme, attendez voir... comment puis-je vous aider... oui : cherchez-en une qui porte des traces de dents.

Salter ne dit rien.

Elle continua :

— Eh oui, il aimait mordre. Les oreilles et le cou, principalement, mais il mordillait un peu partout. À part ça, c'était plutôt conventionnel. La position du missionnaire, sauf le jour de la fête des Pères : là, c'est moi qui étais dessus. J'imagine que notre vie sexuelle était assez semblable à la vôtre, inspecteur.

Salter articula patiemment :

— Avait-il des ennemis ?

— Rien de bien terrible. Devant moi, en privé, il traitait parfois tel ou tel collègue de trou du cul, mais je suppose que vous « faites ça, vous aussi, hein, inspecteur ? Il n'était pas très diplomate avec eux, non plus, alors beaucoup de gens se méfiaient de lui. Et vous, inspecteur ? Savez-vous tenir votre langue ?

— Ses collègues ont mentionné une querelle avec le professeur Dunkley.

— Oh, non. (Elle abandonna sa pose et s'assit sur le siège qui était devant elle.) Oh, non. Ne partez pas sur cette piste. Dunkley et lui, c'était le jour et la nuit. Dunkley est vraiment un trou du cul, mais il ne tuerait personne. Il est assez méchant pour le faire, mais il ne pourrait pas le justifier dans le cadre de son système moral ou sa culture politique ou que sais-je encore. Non, non. Dunkley ne croit pas en la violence.

— Mais alors, pourquoi se détestaient-ils ?

Elle lança un regard circulaire dans la pièce, puis déclara :

— Je devrais peut-être faire du café, après tout. J'en prendrais bien un. Ensuite, je vous raconterai la vie de David ou, en tout cas, la portion qui vous intéresse, y compris l'« *affaire Dunkley* »*. Je me sens un peu mieux, maintenant. Je suis désolée d'avoir été grossière, mais tout cela me paraît être une telle perte de temps ! David est mort et je m'efforce de me dire que c'était comme un accident de voiture. Qu'est-ce que ça peut bien me faire, de savoir qui

l'a tué? Mais je ne peux pas m'arrêter de penser à
lui.

Elle se leva et le conduisit vers la cuisine, qui
occupait l'ancienne pièce du fond de la maison.
Encore une rénovation, pensa Salter, qui remarqua
le pin clair, les carreaux de céramique et le bloc de
boucher: tous les éléments typiques de la cuisine
rénovée de Toronto. Elle fit chauffer de l'eau puis la
versa dans un filtre, meublant l'attente en mettant
une grande quantité de vaisselle dans l'évier et en
débarrassant le comptoir. Salter se percha sur un
tabouret, à table, et patienta. Elle servit deux tasses
de café et en poussa une devant lui, ainsi qu'un
carton de crème et une cuillère mouillée qu'elle avait
prise dans l'évier. *Elle est un peu souillon*, pensa-t-il,
ravi. *Je me demande ce qu'en pensait Summers...* Ils
dégustèrent leur café en silence pendant quelques
minutes. Puis elle se lança.

— David avait presque cinquante ans et il commençait tout juste à s'habituer à cette idée. Ces
dernières années, il avait eu tendance à se considérer
comme un raté, mais il était en train de passer ce cap.

— Pourquoi un raté? C'était un assez bon professeur... selon une de ses étudiantes, en tout cas.

— Jusqu'à dernièrement, il pensait qu'il était plus
qu'un professeur. Il a été directeur de département
pendant quelque temps et quand ça a été fini, il a
éprouvé... comment dit-on?... de l'insatisfaction.
Mais depuis un an, il se sentait mieux dans sa peau.
Son enseignement était meilleur que jamais et il ne
s'en faisait pas trop pour ça. Autrefois, il prenait ça
plus à cœur: un mauvais cours pouvait lui gâcher
la fin de semaine, un bon cours pouvait lui donner
des ailes. Mais dernièrement, il avait atteint un cer-

tain détachement. Il était quand même obsédé par la préparation de trucs qu'il enseignait depuis des années.

— A-t-il été viré de son poste de directeur ?

— Oh, non. Ils occupent ce poste à tour de rôle, pour trois ou six ans. Mais ses fonctions avaient commencé à être sa raison de vivre. Ça a été dur pour lui quand son mandat est arrivé à terme. Il s'attendait à ce qu'on lui propose un poste dans l'administration. Comme ça ne s'est pas produit, il s'est mis à se considérer comme un raté.

— Pourquoi ? Pourquoi s'y attendait-il et pourquoi cela n'est-il pas arrivé ?

— Son mentor a démissionné. Le vice-président pour lequel David était tout feu tout flamme a pris un poste ailleurs et le nouveau n'aimait pas David. C'est aussi simple que ça. David est donc retourné à l'enseignement, mais ce n'est que récemment qu'il a recommencé à s'y faire.

Salter écoutait, désagréablement conscient des parallèles avec sa propre existence. *C'est justement ça, la maudite histoire à la Conrad*, songea-t-il. *Il faut absolument que j'en parle à ce gros directeur un jour*. À cette pensée, il revint à sa tâche.

— Est-ce pendant son mandat de directeur qu'il s'est brouillé avec le professeur Dunkley ?

— Je vous l'ai dit, inspecteur, celui-là ne vaut pas la peine que vous vous y intéressiez. Par principe, Dunkley ne ferait pas de mal à une mouche, bien que la haine soit aussi un de ses principes. Ils étaient en opposition, bien sûr. Cela remonte à l'époque de la fin de la révolution étudiante. David avait eu quelques affrontements ; il avait fouillé tout au fond de son cœur et découvert qu'il était un libéral mou qui pensait que les étudiants avaient le droit de régenter tout ce qu'ils voulaient, sauf les cours. Dunkley, lui, participait à toutes les occupations de locaux et soutenait le droit des étudiants à décider de tout, y compris de ce qu'on devait leur enseigner. Il y avait un incident presque chaque jour et ces deux-là étaient dans deux camps opposés. (Elle marqua une pause et sembla rassembler toute son énergie pour la suite.) Mais ce n'était pas tout. Vous voyez – et puis merde! – à cette époque-là, Dunkley et sa femme se sont séparés. Juste après ça, David et la femme de Dunkley sont devenus amants. Dunkley l'a découvert. Ils ne se sont plus adressé la parole par la suite, même si, selon les principes de Dunkley, sa femme était libre de faire ce qui lui chantait. Vous êtes content? Maintenant, vous savez tout.

— Comment l'avez-vous su?

— David ment mal – désolée: «mentait» –, alors je l'aurais découvert tôt ou tard, mais dans ce cas, la femme de Dunkley l'a dit à ce dernier, pour le contrarier, je pense. Pauvre Dunkley. Personne ne l'aime. Bref, c'est Dunkley qui me l'a dit.

Et c'est là que ça s'est terminé, songea Salter. Mais cela donnait à Dunkley le meilleur des mobiles. Il revint creuser un peu sa toute nouvelle relation avec Summers. Le parallèle le fascinait.

— Pourquoi semblait-il aller mieux récemment? s'enquit-il. Qu'est-ce qui avait changé?

— Vous connaissez sans doute la réponse, inspecteur. En tout cas, vous la connaîtrez. Quel âge avez-vous?

Pris au dépourvu, Salter le lui dit.

— Comme je vous l'ai dit, David approchait de la cinquantaine. Nous avons de l'argent, maintenant, et nous commencions à bouger un peu plus. À voyager. Il n'avait pas besoin de passer tout son temps en haut, dans son bureau, bien qu'il l'ait toujours fait la plus grande partie de l'hiver. Mais nous partions à Noël et pendant quelques semaines l'été. (Elle le considéra calmement.) Notre vie sexuelle s'était améliorée et il commençait à bien s'amuser. Il s'est même mis à écrire des poèmes. Pas très bons mais jolis. Il a rattrapé les bouts d'adolescence qu'il n'avait jamais vécus et il a fini de grandir.

Salter s'énerva :

— Pourquoi est-ce que ça doit obligatoirement être un symptôme d'adolescence à retardement ? Peut-être qu'il aimait tout simplement jouer au squash.

— Ne soyez pas mal à l'aise avec ça, inspecteur. Vous ne le connaissiez même pas. Je pense que tout le monde porte en soi tous les âges, particulièrement l'adolescence, mais que certaines personnes – les plus chanceuses – ont l'occasion de laisser les autres âges s'en aller.

Pour Salter, de tels propos ressemblaient à ces conversations qui aboutissent à la conclusion qu'on est tous pédés, vraiment, pour peu qu'on se laisse aller : il coupa court.

— Vous n'aviez pas de soucis d'argent ? demanda-t-il.

— Non. (Elle pointa son index vers le plafond.) Nous avons fini de payer la maison. Notre fille va bientôt quitter le collège et je travaille. Pour une agence. Nous trouvons de nouveaux emplois pour les cadres supérieurs qui ont été virés ou qui veulent démissionner. Je suis bonne là-dedans et je gagne très bien ma vie. Je voulais aider David : j'aurais pu le recaser dans une nouvelle carrière sans aucun problème, mais il ne voulait pas que je m'occupe de ça.

Il avait foutrement raison, se dit Salter.

— Et David se faisait pas mal d'argent, à côté de son travail, ajouta-t-elle.

— Comment ?

— Sur les marchés à terme. Encore une chose que Dunkley n'aimait pas chez lui. Il traitait David de capitaliste. Quel con ! David n'était rien d'autre qu'un joueur, en fait. Un jour qu'il regardait la télé, il a vu un courtier en marchandises qui lui a donné l'impression de savoir de quoi il parlait. Le lendemain, il a appelé ce courtier et ouvert un compte. C'est une sorte de pari sur le prix futur des choses. David avait essayé la Bourse des valeurs mobilières, mais il disait qu'elle était truquée au profit des courtiers et des initiés. Il avait passé une année à boursicoter : il avait gagné dix mille dollars de commission pour le courtier et à peine cinq cents pour lui. Ce truc de marchandises, c'était autre chose. Il avait un bon négociateur – une femme, soit dit en passant – et elle lui a fait gagner pas mal d'argent. Il a récupéré sa mise initiale en six mois – je pense qu'il a investi au départ quinze mille dollars – et par la suite il a joué avec ses gains. Dernièrement, il était dans le coton, le cuivre et le franc suisse. Mais Dunkley n'y comprenait rien du tout. Pour lui, parier sur le prix futur des flancs de porc revenait à jouer avec la nourriture des pauvres. Même si on y perd sa chemise. Je vous préviens, inspecteur, si d'aventure vous vous lancez dans les marchés à terme, ne le dites à personne. Les gens sont jaloux et indignés quand vous gagnez et foutrement contents quand vous perdez. D'ailleurs, ça me fait penser… Il faudra que je sache comment ça va s'arranger, tout ça : nous avions un compte joint et tous les comptes ont été gelés jusqu'à ce que le testament soit homologué, mais il peut y avoir des opérations en cours. Excusez-moi.

Elle s'approcha du téléphone et composa un numéro qu'elle lut sur une liste collée au-dessus du combiné.

— Leslie Stone, je vous prie. C'est madame Summers, la femme de David… Merci… J'étais en train de me demander comment nous allions procéder… Bon… Merci… Je reprendrai contact dès que les comptes seront débloqués.

Elle raccrocha et revint vers la table.

— David avait totalement confiance en elle, affirma-t-elle. Apparemment, nous gagnons de l'argent aujourd'hui.

Salter eut brusquement une idée.

— Pourriez-vous la rappeler et l'autoriser à me parler ? demanda-t-il.

— Pourquoi ?

— Je vous le dirai si j'ai vu juste. C'est seulement une idée.

— Entendu. Attendez une minute.

Elle refit le numéro et parla de nouveau à la courtière, puis tendit le téléphone à Salter. Son interlocutrice avait une voix joyeuse, légèrement métallique.

— Salut, inspecteur ! lança-t-elle. Que se passe-t-il ?

— Probablement rien, m'dame. Le décès de monsieur Summers soulève quelques questions, c'est tout.

— Je ne vous serai pas d'un grand secours. Je ne sais même pas à quoi il ressemblait.

— Vous ne l'avez jamais rencontré ? Jamais ?

— Non. Il me manquera, par contre. C'était un client facile.

— Comment ça ?

— Il ne pleurait jamais quand il perdait. Pour certains de mes clients, c'est la fin du monde chaque fois qu'ils perdent mille dollars.

Bon Dieu ! Et pour moi donc, ma fille !

— Vous rappelez-vous quand vous lui avez parlé pour la dernière fois ?

— Bien sûr, c'était vendredi dernier, quand il m'a appelé de Montréal.

— Avez-vous fait des affaires à ce moment-là ?

— Non. Nous n'avons ni acheté ni vendu quoi que ce soit. Mais j'avais de bonnes nouvelles pour lui. Il avait gagné deux mille dollars ce jour-là.

— De quelle manière ?

— Grâce au référendum sur la souveraineté. Il a acheté deux cent mille dollars canadiens et quand les résultats du référendum sont sortis, il a gagné cent points.

— Ça fait donc cent dollars ?

— Non. Ça fait mille dollars par cent. C'est ça, cent points.

— Je vois. Il a acheté deux cent mille dollars la veille, et le lendemain ils valaient deux cent deux mille. C'est ça ?

— C'est ça, inspecteur. Plus ou moins.

— Ça fait beaucoup d'argent, non ?

— C'est en deux contrats.

— Il devait avoir plus de deux cent mille dollars de dépôt chez vous, alors ?

Salter vit madame Summers se sourire à elle-même.

—Inspecteur, je suis très occupée, mais je vais vous donner un petit cours sur les opérations sur marchandises. Pour acheter cent mille dollars canadiens, il vous suffit d'en fournir trois mille cinq cents, ce qui représente le montant que vous pourriez perdre au cours d'une mauvaise semaine, mettons. David en a utilisé sept mille, soit environ la moitié de ses avoirs, pour ces deux contrats. Il avait l'un de nos comptes les plus minuscules. Si tout se passait mal, il pouvait tout perdre en trois jours.

—Tout perdre? Nom de Dieu! Mais cette fois-là il a gagné, donc?

—C'est ça. Et vous savez pourquoi il était si content? C'est parce qu'il s'était débrouillé tout seul. Je lui avais conseillé de ne pas le faire. D'habitude, il suivait toujours nos conseils, mais cette fois il voulait faire son propre pari. Je ne trippe pas sur le dollar canadien, mais il était sûr de son coup. Il était vraiment aux petits oiseaux quand il a gagné. Il me manquera.

—Merci beaucoup, madame Stone.

—De rien, chef.

Salter eut une inspiration subite:

—Au fait, si je voulais me lancer là-dedans, est-ce que vous m'embarqueriez?

—Bien sûr. On a augmenté la mise, cependant. Il vous faudrait un peu plus de liquidités.

—Combien?

—Soixante-quinze mille vous permettraient de démarrer. Avec cent, ça serait mieux.

—Merci. (Salter raccrocha et retourna s'asseoir.) Voilà qui résout la question du jour de chance de David, conclut-il.

David? Depuis quand le cadavre avait-il un prénom? Ça devenait un tantinet familier, tout ça.

Mais madame Summers rétorqua :

—Il avait déjà gagné autant auparavant. Je me demande pourquoi il en a fait tout un plat… En tout cas, c'était donc ça. Fin du mystère. Aimeriez-vous déjeuner, inspecteur ? Je pourrais faire des œufs brouillés.

Salter se secoua.

—Non, merci, m'dame. J'ai du travail. Je sais de quoi il retourne pour son jour de chance et je sais maintenant à qui était destiné l'un des appels téléphoniques. C'était à elle, la courtière. (Il tâta le portefeuille qui était dans sa poche et le lui tendit.) Le portefeuille de votre mari, madame Summers. Pourriez-vous en vérifier le contenu et me signer un reçu ? Nous avons photocopié tout ce qui s'y trouvait.

Elle le prit précautionneusement et l'ouvrit. Elle en répandit le contenu sur la table et le compara avec la liste détaillée qui figurait sur le reçu.

—De l'argent, des cartes de crédit, son permis de conduire, des bordereaux de carte de crédit, des reçus, des billets de loterie – il faudra que je les vérifie, je suppose – des cartes de bibliothèque, sa carte de membre du club de squash. C'est bon, inspecteur.

Elle griffonna son nom sur le reçu et fourra le portefeuille dans un panier en osier rempli de factures et de lettres sans réponse.

—Je regarderai tout ça plus tard.

Il y eut une pause. L'entretien semblait terminé, mais Salter n'avait pas envie de partir tout de suite.

Elle le sentit et lui proposa :

—Encore un peu de café ? On pourrait aussi bien le finir.

Salter tendit sa tasse.

— Votre mari faisait-il une communication, à Montréal ? s'enquit-il, histoire de prolonger l'entrevue.

— Oh non. Il n'est pas allé à Montréal pour faire une communication. Je pense que c'est le cas de la plupart de ceux qui assistent aux colloques. David voulait juste voir s'il restait encore des traces de Bagdad là-bas.

— Bagdad ?

— C'était une plaisanterie entre nous. David a inventé ça avec un ami un jour où ils parlaient de voyage. Son ami considérait n'avoir jamais gaspillé un dollar dépensé en voyage, et David pensait la même chose. Mais il était toujours à la recherche d'une Bagdad. Bagdad, c'était l'endroit, la ville mystérieuse – toujours une ville – où tout était nouveau et inconnu, un endroit où quelque chose d'intéressant pouvait vous arriver. Paris était une Bagdad. David y a été plusieurs fois et il y était tellement excité que c'est tout juste s'il allait se coucher. Il avait l'habitude de flâner pour rencontrer des gens, tomber par hasard sur des endroits inattendus, laisser les événements survenir. New York était une Bagdad. San Francisco aussi. Certains endroits ont cessé d'être des Bagdad avant même qu'il ait trouvé le temps d'y aller. C'était le cas de Dublin. Il avait voulu s'y rendre pendant des années et, finalement, il n'y est jamais allé. D'autres villes ont été des Bagdad la première fois, mais ni la deuxième ni la troisième fois. Londres était l'une de celles-là. Bref, Montréal avait été une Bagdad. Il se demandait s'il en restait quelque chose.

Salter demanda avec délicatesse :

— Avez-vous été avec lui dans ces Bagdad ?

—Oui et non. Nous avons été à New York ensemble. Je dois y aller souvent pour affaires. Mais, même si nous y avons passé un excellent moment, ce n'était pas Bagdad quand j'étais là. Je pense qu'il en a eu des bribes dans la journée, quand j'étais occupée. Le seul endroit dont je sais que ça a été une Bagdad en ma présence, c'est Corfou.

—Donc, être seul fait partie de Bagdad ?

—Bien sûr. Bagdad, c'était une femme aux cheveux noirs qui vous adressait un signe depuis sa porte. C'est pour ça qu'il aimait faire un voyage tout seul une fois par an, ne serait-ce que pour un colloque universitaire. Il faut toujours être en éveil pour trouver Bagdad.

—Madame Summers, êtes-vous en train de me dire qu'il a peut-être trouvé une « parcelle » de Bagdad à Montréal et qu'elle l'a tué ?

—Non, inspecteur. Ce serait possible mais peu probable. Ce que je dis simplement, c'est que Bagdad était un fantasme romantique. À l'âge adéquat, ça inclut du sexe. Mais ce n'était pas indispensable. Depuis vingt ans, il n'en était d'ailleurs probablement plus question. Pour parler concrètement, David n'aurait rien trouvé d'intéressant ni de mystérieux chez une prostituée de Montréal. De toute façon, imaginer David avec une prostituée, où que ce soit, est absurde, sauf s'il avait dû passer six mois en Arctique, et encore. Il n'aurait jamais été heureux au lit avec quelqu'un qui ne l'aimait pas. Ce n'est pas plus compliqué… Bref, il n'y a pas de prostituées à Bagdad. Je ne sais pas si ce que je dis est clair…

Beaucoup trop, pensa Salter.

—Merci, madame Summers, déclara-t-il cérémonieusement. Vous m'avez été très utile. (Il finit son café et se leva.) Une dernière chose : un de ses collègues m'a dit que votre mari tenait un journal, un journal intime. Je ne l'ai pas trouvé dans son bureau. Êtes-vous tombée dessus, par hasard ? Le cas échéant, pourrais-je y jeter un coup d'œil ? Il reste toujours la possibilité qu'il puisse être impliqué dans quelque chose dont il n'ait parlé à personne, pas même à vous. Mais il se peut qu'il l'ait confié à son journal.

Elle rit et se leva à son tour.

— Je l'ai lu la nuit dernière.

Elle s'empara d'un épais bloc-notes qui se trouvait dans le panier en osier où elle avait mis le portefeuille. C'était sans doute son système de classement.

— Voilà. Rien de très scandaleux ou de gênant là-dedans. Peut-être que ça vous permettra de mieux le cerner. Vous pouvez le lire, mais j'aimerais que vous me le rendiez.

Il mit le journal dans sa poche et fit un geste pour lui serrer la main afin de prendre congé, mais, brusquement bouleversée, elle secoua la tête et le poussa dehors sans un mot. Il quitta la maison et se dirigea vers Kensington Market, où il avait rendez-vous avec Molly pour déjeuner.

Bagdad.

◆

Elle l'attendait, assise à la terrasse d'un café spécialisé en aliments de santé. Elle portait le même jean et le même tee-shirt que la dernière fois qu'il l'avait vue.

— Salut, Charlie ! lança-t-elle alors qu'il était encore à une cinquantaine de mètres, à son grand embarras.

Lui qui portait habituellement un veston de tweed et un pantalon de flanelle grise, même en été – c'était la tenue décontractée de sa jeunesse et il y était un peu engoncé –, il avait ce jour-là innové avec une chemise sport à col ouvert au lieu des traditionnelles chemise et cravate parce qu'il voulait pouvoir se changer facilement au club de squash. Il s'était senti absolument à l'aise chez madame Summers, mais dans ce contexte il avait l'impression d'être vêtu comme un banquier. Tout autour d'eux, la contre-culture s'affichait ; la plupart des gens avaient moins de trente ans et ils étaient habillés de couvertures et de toile de jute. À une table, était assis un garçon qui se tenait les yeux fermés et les mains dans les airs, index et pouce formant un cercle. Méditait-il ? À une autre table, deux jeunes mères enveloppées dans des rideaux donnaient aux passants un aperçu des joies de l'allaitement.

—Essayez le hamburger au falafel, suggéra Molly.

Salter étudia le menu, mais il n'y reconnaissait rien. Il haussa les épaules et hocha la tête. Quand son assiette arriva, le sandwich en question se révéla être un pain au lait géant recouvert de graines de sésame fourré de mauvaises herbes et de racines. Salter le trouva savoureux.

—Je vais prendre du thé à la menthe, annonça Molly. Mais ils ont aussi du café, pour les accros, ajouta-t-elle.

—C'est mon cas. Un café avec un supplément de caféine, s'il vous plaît, avec deux cuillerées de sucre blanc cancérigène.

Il faut savoir défendre ses principes, se dit Salter.

Après qu'ils eurent mangé, elle resta en place à attendre, comme une bonne étudiante. Salter commença :

—J'aimerais en savoir un peu plus sur les autres professeurs du Douglas College. Où se situait Summers, en tant qu'enseignant, par rapport aux autres profs du département que vous avez eus ?

—Je n'en ai eu que deux autres. Dunkley était mon prof de littérature canadienne et un certain Philpott, un Anglais d'Angleterre, m'a enseigné la littérature américaine. Il n'est plus là.

—Que lui est-il arrivé ? Pourquoi souriez-vous ?

—Il est parti au milieu du trimestre. C'est le professeur Browne, notre directeur, qui a fini le cours. (Elle se mit à rire.) Philpott ne se pointait pas souvent et nous nous en sommes plaints. Souvent. Nous l'avions surnommé « le grand docteur canadien ».

—Pourquoi ?

—On a découvert que c'était un imposteur, sans diplôme, rien. En toute justice, il aurait pu être brillant, mais il était lamentable. Quand il finissait par venir en classe, environ une fois par semaine, il nous lisait des comptes rendus de livres qu'il avait copiés à la bibliothèque. Browne a étouffé l'affaire et tout le monde a réussi son cours.

—Et Dunkley ?

—Il est pas mal. Il est censé être gauchiste jusqu'à la moelle, comme le montrent ses fringues, mais en réalité c'est un prof de la vieille école. Il nous fait travailler. En théorie, on peut choisir notre propre cheminement dans son cours, mais avant d'avoir fini d'en discuter avec lui, on a déjà travaillé plus que dans un cours conventionnel. Avec lui, chaque étudiant établit son propre plan de cours et pour le faire comme il faut, il faut connaître toute la matière avant de commencer.

Salter avait épuisé sa liste de questions.

— Autre chose ? s'enquit-elle gaiement.

— Je pense que non. Je crois que je ne vous ennuierai plus.

— Ça ne justifiait pas vraiment un rendez-vous, n'est-ce pas ? Mais peut-être n'était-ce qu'un prétexte ?

— Ce n'était qu'un prétexte, en effet. J'avais envie de vous voir, admit-il nerveusement.

— C'est gentil. Est-ce que vous voulez me revoir ?

Salter se troubla. Elle vint à sa rescousse.

— Je ne vous fais pas des avances, Charlie. Mais on peut sortir ensemble, si vous voulez.

Salter se raisonnait : *Oui, mais tu n'as que vingt ans et moi, quarante-six, et tu n'imagines pas à quel point je me sens idiot. Summers a peut-être vraiment apprécié tes dissertations, mais il a sans doute eu autant de plaisir que moi à se trouver en ta compagnie.*

— Il se pourrait que j'aie besoin de votre aide plus tard, mentit-il en manière d'esquive.

— Il n'est pas indispensable que vous ayez besoin de mon aide. Vous n'avez qu'à m'appeler. Ou, plutôt, je vous appellerai. On ira boire une bière.

— Non, ne faites pas ça.

— Je vois. Votre femme n'apprécierait pas.

Facile à deviner.

— Non.

— Ne vous inquiétez pas. Je ne vous laisserai pas faire quelque chose de stupide.

L'inspecteur de police d'âge moyen qui avait tout vu sourit timidement.

— C'est bien, assura-t-il. C'est agréable de voir comment vit le reste du monde.

—N'est-ce pas? Bon, il faut que j'y aille. Vous m'offrez le déjeuner? Vous n'allez pas vous sentir compromis?

—Non. Je mettrai ça sur ma note de frais. Comme ça, je saurai que c'était pour affaires. Je mène toujours une enquête.

—Bien. (Elle lui effleura la main.) Finissez votre café.

Elle s'éloigna. Elle se faufila entre les tables et lui fit un signe quand elle atteignit le trottoir. Salter se pencha avec entrain sur le fond de café qui lui restait.

◆

Salter se changea et revêtit sa vieille tenue de tennis. Il se demandait ce qu'il allait faire de ses objets de valeur. Le préposé lui désigna une rangée de vide-poches en bois dotés de verrous; Salter en choisit un, dans lequel il déposa son portefeuille et sa montre, puis mit le bracelet élastique auquel était accrochée la clé dans sa poche plutôt qu'à son poignet. Le pro l'attendait sur le court.

—Comme ça, lui montra le pro.

Il laissa tomber la balle sur sa raquette et la frappa contre le mur frontal. Salter balaya l'air de sa raquette pour atteindre la balle et la manqua.

—Encore une fois, l'encouragea le pro.

Encore un grand mouvement: il la frappa avec le manche.

—Encore une fois.

Un grand mouvement: il la frappa droit vers le plafond.

—C'est ça, approuva le pro. Je vois que vous avez beaucoup joué au tennis.

Salter se rengorgea. Ils continuèrent ainsi pendant dix minutes : la balle pouvait rester en jeu jusqu'à quatre fois de suite. Le pro proposa alors de faire un long échange.

— Vous n'avez qu'à essayer de garder la balle en jeu, expliqua-t-il.

Dix minutes plus tard, Salter crut que sa dernière heure était venue. Ses poumons étaient dilatés, son cœur lui battait dans les oreilles et la sueur l'aveuglait.

— Comment vous sentez-vous ? lui demanda le pro.

Salter inspira profondément. La fraîcheur du court lui donnait la chair de poule.

— Encore une fois, haleta-t-il.

Il frappa violemment et correctement la balle.

— Génial ! s'exclama le pro, qui la renvoya de derrière son dos, sans regarder.

À la fin, Salter déclara :

— Je veux un autre cours demain.

Ils quittèrent le court et Salter emprunta le couloir pour se rendre aux vestiaires, maintenant bondés. Il se déshabilla, mal à l'aise parmi tous ces avocats nus, complexé par ses varices et la vieille cicatrice laissée en souvenir par l'ablation de sa vésicule biliaire. Mais sous la douche et, plus tard, dans le bain tourbillon, il s'oublia, s'abandonnant au plaisir d'avoir soumis son corps à des efforts physiques.

Il s'habilla, puis alla attendre au bar. Bailey ne tarda pas à apparaître pour sa partie avec Cranmer, le comptable. Quand il aperçut Salter, il baissa brièvement les yeux puis les releva très rapidement et salua bruyamment l'inspecteur.

— Comment ça va, chef ? s'écria-t-il entre autres apostrophes.

—Je viens de suivre mon premier cours, l'informa Salter. Je pense que je vais m'inscrire.

—Vraiment ? On pourrait peut-être faire une partie à un moment donné.

—Quand j'aurai eu quelques autres cours.

Ils restèrent assis en silence, chacun attendant que l'autre prenne la parole. Bailey prit les devants.

—Vous avez du nouveau pour ce bon vieux Dave ? demanda-t-il.

—Non. Je vais vous dire, monsieur Bailey, nous sommes perplexes. On dirait vraiment qu'il s'agit d'un coup fortuit.

—Il s'est fait dévaliser, vous pensez ?

—Quelque chose comme ça.

—Pauvre vieux Dave, hein ? Bon, eh bien, je ferais mieux de me changer. Percy est toujours à l'heure.

Il s'affaira avec sa raquette et son sac.

—Encore une chose, monsieur Bailey. J'étais juste en train de vérifier quelques bricoles. Summers a passé quelques coups de fil depuis Montréal vendredi après-midi…

—C'est juste, inspecteur, j'ai oublié de vous le dire. Il m'a appelé pour m'avertir qu'il ne pourrait pas jouer au squash le lundi suivant. Quand on s'est vus jeudi, il avait oublié de me prévenir qu'il se rendait à Montréal pour ce colloque.

—Je vois. C'est tout ? Avait-il l'air très excité ?

Bailey réfléchit.

—Excité ? Non, il ne semblait pas différent des autres jours. Non.

—Pourquoi aurait-il téléphoné pour annuler une partie si elle n'était pas prévue ?

—Oh, nous avions passé un accord de base. Nous nous contactions seulement quand nous ne pouvions pas venir. Sinon, ma secrétaire réservait un court pour nous tous les jours.

—Je vois. La partie devait être passionnante, jeudi, pour qu'il ait oublié de vous prévenir.

—Ouais. On se donnait toujours à fond. Je peux y aller, maintenant? Percy vient d'arriver.

Bailey et Cranmer s'éloignèrent vers les vestiaires et Salter partit à la recherche du directeur afin de lui demander des renseignements préliminaires en vue de son inscription au club. Une fois le processus lancé, il décida d'aller plus loin et devint dès lors membre à part entière.

CHAPITRE 6

Le lendemain matin, Salter se réveilla avec l'impression qu'un de ses nombreux ennemis l'avait finalement rattrapé dans une ruelle. En plus d'avoir les deux jambes cassées, il avait été malmené de la tête aux pieds. *C'est donc comme ça qu'on se sent*, se dit-il. Puis il se souvint de la cause de sa douleur et commença à la savourer, car c'était le produit de son premier véritable exercice depuis dix ans. Il avait de plus dormi comme un athlète. Il resta allongé à se remémorer sa journée de la veille en regardant les frémissements de sa femme qui dormait haut dans le lit, la taille presque au niveau de la tête de Salter. Il était sept heures : il la regarda s'enfoncer un peu plus dans son oreiller pendant quelques minutes supplémentaires. Il attendit qu'elle redevînt immobile, puis souleva la couette, releva sa chemise de nuit et lui mordit doucement les fesses.

Elle ne bougea pas.

— Qu'est-ce que c'est ? marmonna-t-elle.

— C'est du mordage de derrière, répondit-il. Une technique érotique traditionnelle. Je me disais qu'il fallait que j'essaie.

— T'aimes ça ?

— Bof.

— Bien.

— Tu veux que j'essaie autre chose ?

Elle se retourna sur le dos.

— Je n'en ai pas extraordinairement envie, confia-t-elle, mais apparemment toi, oui. Donc, allons-y pour une petite vite victorienne.

Elle enroula sa chemise de nuit autour de sa taille.

— D'accord, répliqua-t-il en roulant vers elle. Aaaargh ! Doux Jésus ! Je ne peux pas bouger ! Aaaaargh ! J'ai joué au squash hier, je suis paralysé !

— Quel cercle vicieux, fit-elle remarquer. Tu joues au squash pour être en meilleure forme et améliorer ta vie sexuelle et, maintenant, tu ne peux plus bouger. D'accord. Quand tu seras en convalescence, fais-le-moi savoir.

Elle sortit du lit et se dirigea vers la salle de bains.

Il se retourna sur son lit de douleur.

— Tu me le paieras ! cria-t-il. Tu verras, un jour, je retrouverai l'usage de mes jambes !

Après un moment, il s'extirpa du lit et se glissa dans sa robe de chambre. En bas, quelques minutes plus tard, il tomba sur le regard interrogateur de ses deux fils : ils l'avaient entendu hurler et le voyaient maintenant avancer péniblement dans la cuisine. *Qu'ils aillent au diable*, pensa-t-il. *Qu'ils se posent des questions.*

◆

Il oublia sa douleur au moment où le pro frappa la première balle au début de son deuxième cours, un peu plus tard dans la matinée. Cette fois-là, il toucha la balle presque à chaque coup. Il s'essaya

même à quelques placements et techniques de frappe
rudimentaires.

— *Wow !* s'exclama le pro entre deux coups d'œil
à sa montre.

Le cours lui coûta cette fois dix dollars pour une
demi-heure.

◆

— Tu l'as trouvé, ton mobile, Charlie ?

Harry Wycke se tenait dans l'encadrement de la
porte de Salter alors que celui-ci s'apprêtait à partir pour Montréal.

— Tu veux que je t'en parle un peu, Harry ? Il me
reste quelques minutes avant mon départ.

— Volontiers.

Wycke s'assit sur la petite chaise dure destinée
aux visiteurs et jeta un regard circulaire dans le
bureau.

— Ce n'est pas le grand luxe, par ici, hein ?
commenta-t-il.

— On m'a donné ce qui restait.

Wycke était-il sur le point de fraterniser ?

Mais le détective se contenta de hausser les épaules
et attendit que Salter parle. Ce dernier résuma donc
l'affaire et ce qu'il avait découvert jusque-là. Wycke
l'écoutait attentivement.

— Et maintenant ? demanda-t-il lorsque Salter
eut fini.

— Je vais à Montréal cet après-midi pour jeter
un coup d'œil. Des conseils à me donner ?

Wycke secoua la tête.

— Moi, je ne rechercherais rien de compliqué. Le
sexe. L'argent. Les deux à la fois. (Il se leva.) Tu

veux que j'enquête sur les *bookies* d'ici ? Il était peut-être connu pour avoir des problèmes de ce côté-là ?

— Oui, merci, Harry. Mais je ne pense pas que ce soit la bonne piste.

— Moi non plus. Mais elle est assez évidente, alors on va protéger tes arrières là-dessus.

Il fit un clin d'œil et s'en alla.

◆

Le train de l'après-midi mettait un peu moins de cinq heures à effectuer le trajet entre Toronto et Montréal. Salter avait emporté le journal de Summers pour passer le temps, dans l'espoir de le trouver aussi intéressant qu'utile, en dépit de ce qu'en pensait madame Summers. Il s'était offert la première classe afin de pouvoir boire de la bière et lire confortablement. On lui avait en outre attribué un siège près de la fenêtre : c'était idéal, car bien que le paysage entre Montréal et Toronto ne fût pas particulièrement intéressant, regarder par la fenêtre – ou sembler le faire – était le meilleur moyen d'éviter toute conversation avec les autres passagers.

Les premières pages du journal le déprimèrent. Summers y déclarait en préambule que c'était la première fois qu'il se lançait dans un tel exercice. Le début consistait en un long compte-rendu décousu et « littéraire » de la condition de l'auteur, de son état mental, physique, psychologique et sexuel (trop mièvre pour être intéressant), social, paternel, conjugal, fraternel, spirituel (« Je sais, finalement, que je dois mourir un jour. » *Pour l'amour du ciel !...* commenta mentalement Salter) et professionnel. Salter parcourut les cent premières pages.

Vers la trentième page, Summers avait écrit : « Joyce d'humeur taquine, aujourd'hui. Nous avons passé un moment agréable avant de nous lever, ce matin. » Voilà qui était mieux. Salter commanda une bière, se cala dans son siège et reprit la première page.

Au fur et à mesure de sa lecture, la vie de Summers émergeait de sa préoccupation littéraire à l'égard de l'écriture d'un journal. Les inscriptions étaient de plus en plus courtes – une page ne tarda pas à constituer un long article – et le journal prit vie tandis qu'il se transformait en une relation des événements survenus dans l'existence de Summers au lieu d'être un recueil de *pensées**. Le journal débutait par des interrogations sur l'état dépressif du diariste. Il dormait mal, se réveillait angoissé et éprouvait peu de plaisir, semblait-il. Salter y reconnut sa propre condition et se dit que cet état d'esprit était sans doute très répandu, normal et ennuyeux. Plus intéressant était le mouvement ascensionnel du journal, marqué par la disparition de l'introspection ; dès lors, Salter lut plus attentivement pour déceler la manière dont Summers s'en était sorti. L'apparition de son nouveau passe-temps, le squash, fut le premier indice à révéler que Summers avait dépassé sa fascination pour sa mélancolie et avait fini par faire quelque chose pour y remédier. Après environ deux mois, Summers commençait à mentionner ses parties régulièrement, notamment celles qu'il faisait avec Cranmer et Bailey. Cranmer ne tarda pas à être éclipsé, mais les parties contre Bailey furent relatées avec constance et assorties de commentaires. Une fois, Summers avait écrit : « Épuisé. Joué contre Bailey aujourd'hui : l'ai battu. Il a voulu faire une autre partie : l'ai encore battu. Presque senti désolé pour lui et proposé de payer la bière. Il en est presque devenu arrogant. M'a dit que je paierais la bière bien assez tôt. Ha! Ha! J'attends ça avec impatience toute la journée. Nous sommes strictement à égalité, mais je me sens en grande forme cette semaine. Quelquefois, j'ai un peu honte de cette nouvelle obsession, mais il y a bien un professeur distingué de l'U. de T. qui se fout de tout, sauf de son cheval. » Et plus loin : « Perdu face à Bailey aujourd'hui. J'ai toujours l'œil au beurre noir depuis la semaine dernière. Je pense qu'il a dû prendre des cours, en plus. » Pendant un tournoi, apparemment entre les joueurs seniors du club, le journal fut interrompu pendant dix jours. Salter se fit la réflexion que ce genre de journal n'était sans doute tenu que lorsque l'auteur était triste.

Quelquefois, Summers se réprimandait de ne pas l'avoir rempli consciencieusement. La première inscription de ce type apparut vers le tiers du carnet ; Summers avait relu ses confessions sur papier des six premiers mois et les avait trouvées fascinantes. Des articles d'ordre culinaire apparaissaient à l'occasion ; Summers décrivait les menus qu'il avait commandés dans les restaurants, ainsi que les prix. Là aussi, il commençait à entrevoir l'intérêt que pourraient présenter de tels renseignements à l'avenir. Parfois, il consignait les films et pièces de théâtre qu'il avait vus, en ajoutant une réaction mûrement réfléchie et littéraire. Salter préférait certaines autres remarques, du genre : « Vu beaucoup d'imposteurs qui traînaient autour de la scène du St. Lawrence Centre hier soir. » ou encore : « Me suis endormi pendant le concert hier. Ai bavé un peu, mais personne n'a remarqué. »

Le Douglas College était l'un de ses thèmes de prédilection. Tous ses cours « mémorables » et ses échecs totaux étaient rapportés : il y en avait, semblait-il, environ un de chaque par semaine. Puis, parmi les commentaires plus détaillés sur les cours, Salter commença à distinguer la silhouette de Molly Tripp. Elle était désignée par son nom dans les cinquante dernières pages, mais Salter la reconnut bien plus tôt sous les traits de la « jolie fille aux cheveux frisés du deuxième rang qui portait un jean. » Elle apparut plusieurs fois en tant que « salvatrice » d'un cours sur Wordsworth ou de quelque autre écrivain, au moment précis où Summers sombrait dans la débâcle. Puis elle se présenta à son bureau pour parler d'une dissertation. Bientôt, elle fut clairement identifiée sous le nom de Molly Tripp et Summers commença à prendre le café avec elle. Il se demandait (mais pas à elle) si elle était toujours en jean. Il se le demanda encore. Au deuxième trimestre, à peu près à la moitié du journal, il ne la désignait plus que par son prénom et Summers s'abandonnait à un fantasme érotique bénin. « Juste une fois, écrivait-il, j'aimerais la voir sans son jean. (Mais peut-être a-t-elle des jambes toutes plissées ou poilues, comme Geraldine.) » Salter se demandait qui diable pouvait bien être cette malheureuse Geraldine : une parente de Summers ? Fait plutôt significatif, Molly devint « M ». Dans son journal, Summers ne franchit jamais l'étape ultime vers la véritable intimité, comme s'il avait l'impression qu'on lisait par-dessus son épaule, mais le recours à l'initiale était sans doute le signe de son intérêt accru et clandestin pour la jeune fille. « "M" est venue, relatait-il, et je me suis débrouillé pour la retenir pendant une heure. La semaine pro-

chaine, elle va venir prendre une bière avec moi. »
Puis, le mensonge : « Sans quelques étudiants comme
elle, il serait impossible de travailler », manifestement destiné à rassurer toute tierce personne (sa
femme ?) sur la pureté de son intérêt à l'égard de
Molly.

Finalement, ils n'allèrent pas prendre la fameuse
bière et Summers n'aborda jamais avec la jeune
fille la question de son intérêt autre à son égard.
Elle lui rendit visite deux fois avant les examens
pour bavarder. Summers se demandait si elle voyait
en lui plus qu'un professeur. Elle revint après l'examen pour lui dire qu'elle avait apprécié le cours et
Summers écrivit : « Je lui ai donc parlé de son "A".
Elle était aussi contente que moi. Ai traîné un bon
moment, mais je ne pouvais rien tirer de tout ça.
Sait-elle ce qui se passe ? »

C'était la dernière allusion à Molly. En obser-
vant les progrès de ses relations avec elle et en
devinant le degré d'émotion que cela impliquait,
Salter fut en mesure de décrypter certains des rapports entre le diariste et son entourage. Joyce
Summers faisait des apparitions régulières, généralement lorsqu'il évoquait des sorties qui leur
avaient plu. Ils ne se disputaient pas vraiment,
semblait-il, mais ils avaient souvent des querelles
qui duraient un jour ou deux et qui se résolvaient
généralement par ce que Summers appelait « une
bonne baise ». Summers était plutôt heureux en
ménage. Marika Tils était sa confidente. Elle inter-
prétait ses rêves, le réconfortait après les mauvais
cours et échangeait avec lui des potins sur leurs
collègues. Apparemment, elle n'était jamais venue
chez lui, mais pour Salter, le fait qu'elle fût clai-

rement identifiée signifiait que leur relation n'avait rien de sexuel. Deux autres initiales émergeaient de temps à autre. Une femme désignée par « S » était l'objet de fantasmes romantiques. Summers déjeunait parfois avec elle, mais leur liaison – si c'en était bien une – n'avait rien de pressant. À ce qu'il semblait, Summers s'imaginait être amoureux d'elle et savourait ce fantasme sans pour autant éprouver l'envie de tout perdre pour elle. Quand il évoquait « S », Summers allumait son étincelle littéraire ; toutefois, celle-ci brillait sans grande chaleur.

Dans le dernier tiers de son journal, Summers commença à relater son récent intérêt pour les opérations sur marchandises. Il était fasciné par l'éventualité de faire fortune. Chaque fin de semaine, il calculait les pertes et profits de la semaine. Comme l'avait déclaré madame Summers, il se débrouillait étonnamment bien. La dernière inscription dans son journal concernait le colloque de Montréal. « Hâte à jeudi. N'ai pas été à Montréal depuis dix ans. J. y sera. Notre cinquième anniversaire. »

Salter remit le journal dans son sac et commanda une troisième et dernière bière. Le train passait dans Cornwall. Qui était « J » ? Qui d'autre que la directrice des étudiantes ? Le journal ne contenait aucune autre surprise, sur le fond pas plus que sur la forme, mais il y avait une omission qui laissait Salter perplexe. Les commentaires sur les collègues de Summers y étaient assez rares : ils visaient principalement Marika Tils, bien que les autres fussent mentionnés sporadiquement, généralement en relation avec la politique du département. Ils y étaient tous, sauf Dunkley, qui n'était évoqué nulle part. Salter s'interrogea : si « D » était plus significatif que Dunkley, car l'initiale indiquait une plus grande implication émotionnelle, l'omission de «D» était-elle encore plus parlante? Ils devaient vraiment se détester, tous les deux.

◆

O'Brien l'attendait à la gare. Il portait une chemise sport dont la poche était ornée d'un insecte brodé et un pantalon blanc. Salter ne put tenir sa langue:

— Tu ressembles à un agent des stups de la GRC, ironisa-t-il.

O'Brien lui répondit par une grimace:

— On sort en ville, Charlie. Je m'efforce de ressembler à un prof de Toronto qui cherche à se faire une Franco.

— Tu ressembles à ça aussi, le rassura Salter.

La Volkswagen de O'Brien était illégalement stationnée à l'emplacement réservé aux taxis devant la gare. Ils démarrèrent après que O'Brien eut jeté la contravention que ça lui avait value.

— Comment ça se présente pour la Saint-Jean-Baptiste? Besoin d'aide? demanda Salter pendant le trajet.

— Comme ça, tu es au courant de nos festivités culturelles, hein?

— Je sais qu'une année Trudeau s'est pris une bouteille de Coke en pleine face. Prévoyez-vous des émeutes, cette fois-ci?

— Des feux d'artifice. Des vrais! On pourrait recourir à quelques centaines de gars de la police montée. T'as le bras long?

— Je ne connais que Frank et moi. Il a des hémorroïdes et quant à moi, je ne sais pas monter à cheval.

—Tu devrais apprendre. Comme ça, quand le Québec se séparera, tu pourras t'engager dans la cavalerie et partir à la charge sur l'autoroute 401.

—Ce n'est pas une bonne idée. Vos routes sont si mauvaises qu'on ne pourrait jamais traverser la frontière.

—Très drôle. Bon, t'as fini de plaisanter, Charlie ? Je peux te parler de notre affaire ? Il y a du nouveau.

—C'est bon. Vas-y.

—Summers a utilisé deux clés pour entrer dans sa chambre. Tu te souviens qu'on a trouvé deux clés.

—Oui. Il en a pris une à son arrivée, l'a laissée dans sa chambre par mégarde et a dû en demander une autre pour rentrer dans sa chambre cette nuit-là.

—Personne ne se rappelle l'avoir entendu demander la deuxième clé. Ce n'est pas un hôtel très achalandé, Charlie. On l'aurait remarqué.

—Mais ce n'est pas le cas.

—Il n'a pas demandé de deuxième clé. J'ai de nouveau interrogé les employés. Celui qui a enregistré Summers se souvient que quelqu'un a demandé une deuxième clé cet après-midi-là.

—Il l'a sans doute oubliée peu après son arrivée. Et alors, *Honree* ? Pourquoi est-ce que tu te focalises là-dessus ?

—Ces deux clés me chicotent. Maintenant, écoute.

Salter soupira. Il appréciait O'Brien, mais si ce dernier était de ceux qui disent « écoute », leur amitié en prendrait un coup.

—Oui, consentit-il, j'écoute.

—Bien. Bon. Ce même réceptionniste se souvient que quelqu'un – peut-être Summers – lui a donné une enveloppe à déposer dans un autre casier. Dans l'enveloppe, il y avait quelque chose qui aurait pu être une clé de chambre.

— C'en était une, oui ou non, *Honree*?

— Bien sûr que oui. Mais le réceptionniste ne veut pas qu'on sache qu'il fouille le courrier et secoue toutes les enveloppes. Tu vois ce que je veux dire. Une fouine.

— Donc, Summers a déposé sa clé dans le casier de quelqu'un. L'affaire est réglée. De qui?

— De Jane Homer. Le réceptionniste le sait parce qu'elle a écrit une note à l'intention de Summers.

— La fameuse note que nous avons.

— Oui. Ça doit être ça.

— Il n'a pas lu la note?

— Non. Il prétend que non.

— Dis donc, *Honree*, pourquoi tu ne lui verserais pas un litre d'huile d'olive dans la gueule pour commencer? Ensuite, tu lui agraferais les oreilles sur la tête et, pour finir, tu lui mettrais les testicules dans un presse-ail, un à la fois. Peut-être que ça l'aiderait à se rappeler ce que disait cette note et qui l'a envoyé à qui.

— On ne peut pas faire ça ici, Charlie.

— Nous, on fait ça tout le temps, sauf qu'on utilise des casse-noisettes parce qu'on n'a pas d'ail, en Ontario.

— Tout ça est très amusant, inspecteur, mais je croyais que c'était important.

Salter le prit comme un avertissement.

— Désolé, *Honree*. Je me suis levé de bonne humeur, mais c'est en train de se dissiper. Bon, d'accord, il a donc laissé une clé à Jane Homer pour qu'elle puisse entrer dans sa chambre. J'irai lui parler de nouveau. Mais ce n'est pas une meurtrière.

— A-t-elle admis avoir été dans la chambre?

— Elle a dit qu'elle ne l'avait pas vu.

— Quand retourneras-tu l'interroger ?

— Dès mon retour. Si j'apprends quelque chose d'intéressant, je t'appellerai.

Ils avaient déjà traversé le centre-ville de Montréal.

— Je t'ai réservé une chambre dans le même hôtel que Summers, lui annonça O'Brien. Nous allons reconstituer ses faits et gestes.

Il avait habilement traversé le trafic de l'heure de pointe pour les conduire à l'hôtel Plaza del Oro. Il gara son auto dans le stationnement de l'hôtel. Lorsqu'ils franchirent les portes de devant, O'Brien expliqua :

— C'est l'entrée principale, mais, comme tu vois, l'assassin n'était pas obligé de passer par là.

La réception était exactement en face de la porte, mais de chaque côté du hall se trouvaient des portes plus petites qui donnaient sur la rue.

— Tu vois, il aurait pu prendre cette porte et entrer directement dans l'ascenseur. Personne ne l'aurait intercepté. Je t'ai déjà enregistré ; on peut donc monter tout de suite à ta chambre.

Celle-ci était typique des hôtels de classe moyenne nord-américaine. Deux grands lits, un téléviseur, deux fauteuils, cinq petites tables basses et un placard suffisamment grand pour y ranger une vingtaine de costumes. Et une salle de bains équipée au plafond d'une lampe à verre coloré supplémentaire qui inondait de lumière ultraviolette l'occupant des toilettes.

Salter portait son veston sport : par égard pour son collègue, il enleva sa cravate et mit son stylo dans sa poche intérieure.

— C'est le mieux que je puisse faire, déclara-t-il.

— On dirait un prof de Toronto qui a oublié de mettre sa cravate, le taquina O'Brien.

—Je pourrais peigner mes cheveux vers l'avant.

—Ne t'en fais pas. Ensemble, nous sommes insoupçonnables, j'en suis certain. Bon. Voilà. Les chambres sont toutes identiques. Celle de Summers était située à l'étage au-dessus.

—Montre-moi de quoi elle avait l'air.

O'Brien déplaça les fauteuils.

—Elle était comme ça. Deux fauteuils l'un en face de l'autre. Summers par terre. Du sang partout. La bouteille de whisky, là. Un verre là. Par là, sa valise, ouverte mais pas défaite. Là, près du lit, ses vêtements, en tas. Le lit était intact. Il s'était déshabillé avant de s'*assire* dans le fauteuil, je pense. Le journal était là.

C'est la première fois qu'il fait une faute de grammaire, songea Salter.

—On aurait dit qu'il attendait quelqu'un. Voilà tout ce que nous savons, conclut O'Brien.

—Nous savons qu'il attendait Jane Homer. Mais qui d'autre?

Les deux hommes examinèrent la chambre pendant quelques minutes, puis O'Brien proposa:

—Allons au collège.

Ils quittèrent l'hôtel et franchirent deux coins de rue avant d'arriver à l'édifice où le Congrès des sociétés savantes était encore en cours. Les professeurs de français étaient actuellement en session – le congrès au complet se déroulait sur plusieurs semaines et couvrait toutes les disciplines. Salter et O'Brien purent ainsi avoir une meilleure idée du déroulement du colloque auquel Summers participait au moment de sa mort.

O'Brien récapitula:

—Summers est arrivé, a passé quelque temps dans sa chambre, puis s'est probablement rendu à pied au colloque, à temps pour se retrouver au bar après la dernière séance de la journée, à seize heures trente.

Derrière les portes principales, une foule de congressistes portant des insignes nominatifs se tenaient là, en groupes. O'Brien, qui ouvrait la marche, emprunta un couloir conduisant à un bar, une salle de cours transformée, qui ouvrait à l'instant.

—C'est là qu'il est apparu en premier, *Honree*?

—Oui. Les autres l'ont rejoint ici, ils ont pris un verre et sont sortis dîner.

Les deux hommes jetèrent un regard circulaire. Ils n'apprirent rien de nouveau.

—Je n'ai pas lancé d'appel à témoins, signala O'Brien. Des milliers de personnes auraient pu le voir, mais si quelqu'un avait eu quelque chose à nous dire, il se serait manifesté. C'est ce que pense le président de l'association et je suis d'accord avec lui.

Ils ressortirent du bâtiment et retournèrent à l'hôtel par la rue Saint-Denis. Salter pensa: *Comme ils prennent ça cool, ici.* Les terrasses des cafés étaient conçues pour s'asseoir dehors l'été; des deux côtés, la rue était bordée de tables, remplies essentiellement d'étudiants qui buvaient de la bière. À Toronto, par contre, moyennant une fortune, on pouvait s'asseoir sur cinquante centimètres de pavé volés au trottoir. Pourquoi? Pourquoi construisait-on des trottoirs comme ceci à Montréal et comme cela à Toronto? Le climat était le même. Cela participait-il de la différence entre l'Angleterre et la France, entre Londres et Paris?

—Prenons une bière, suggéra-t-il. Ici. On a le temps.

Ils s'installèrent à une table et Salter s'imprégna de la scène. Bagdad?

◆

La Maison Victor Hugo était à deux pâtés de maisons; c'était une maison convertie et seule une petite enseigne peinte, au-dessus de la porte, indiquait sa vocation actuelle. À l'intérieur, une table leur était réservée à côté de la petite fenêtre. O'Brien plaça son collègue de manière à ce qu'il pût voir la rue.

— Ils avaient cette table-là, mentionna O'Brien, désignant le centre de la pièce. Le serveur se souvient d'eux parce qu'ils avaient l'air de beaucoup s'amuser.

— *Bonjour, monsieur le sergent**.

Le gérant était debout près de la table. Il parla encore un peu en français.

O'Brien lui répondit en anglais:

— Je ne suis pas en service, ce soir. Mon ami de Toronto est en ville et je l'ai emmené ici pour lui montrer que Montréal mérite sa réputation. Je vous présente *monsieur** Salter, ajouta-t-il.

Le gérant s'inclina, serra la main de Salter puis dit encore quelques mots en français. Il s'inclina de nouveau et tourna les talons.

— Qu'est-ce qu'il a dit? s'enquit Salter.

— Il a dit « Passez une agréable soirée et bon appétit ». Si tu reviens ici tout seul, il faudra que tu t'achètes un manuel de conversation, Charlie.

— Je sais. Surtout si vous vous séparez.

— Oh, si nous nous séparons, ça n'aura plus d'importance. Chacun pourra parler sa langue dans son propre pays. Ce qui nous fait chier, par contre, c'est de parler la vôtre aujourd'hui.

— Mais dis-moi, O'Brien, ce n'est pas un nom français, ça ? Pourquoi dis-tu « nous » ?

— « Nous », ça veut dire les *Québécois**. J'ai un nom irlandais, hérité de mon arrière-grand-père, qui travaillait à la voie ferrée. Il a rencontré mon arrière-grand-mère à l'époque où il travaillait dans une équipe de réparation de Sainte-Agathe. Il s'y est établi, c'est devenu son pays et il est devenu Québécois. Il était déjà catholique, alors c'était facile. Et toi ? Tu bénis le ciel d'être Anglo et tout ça ?

— La famille de mon père le faisait, oui. Quant à ma mère, elle ne savait rien de ses origines. Elle est arrivée au Canada comme employée de maison, envoyée par un orphelinat d'Angleterre. J'ai grandi à Cabbagetown, qui était alors comme votre Saint-Henri. Mais nous avons déménagé après la guerre parce que c'était devenu trop sordide, même pour nous. Maintenant, c'est très branché.

— Comment connais-tu Saint-Henri ?

— Par *Bonheur d'occasion*. On l'a étudié, au collège.

Le serveur apparut, brandissant un stylo. Salter laissa son hôte passer la commande ; ils dégustèrent une soupe de carottes, un ragoût de veau agréablement parfumé à la réglisse et une grosse part de fromage blanc doux aux framboises. Avec ça, ils mangèrent beaucoup de pain et burent une bouteille de vin. Salter n'était pas un grand connaisseur, mais il avait ingurgité suffisamment de mauvaise nourriture pour reconnaître de la bonne cuisine quand il y goûtait, même si les nuances de finesse les plus infimes lui échappaient largement. Pour lui, tous les mets de ce repas avaient été délicieux.

— C'est combien, *Honree* ? demanda-t-il à la fin.

—C'est pour moi…

—Entendu, mais c'est combien? Summers a dépensé cent trente dollars ici, pour cinq personnes.

O'Brien s'empara de l'addition.

—Trente-huit dollars. Ils doivent avoir bu beaucoup de vin. OK, Charlie, allons voir la suite de son emploi du temps.

O'Brien régla l'addition et laissa ce que Salter considéra comme un gros pourboire. Salter utilisa la salle de bains avant leur départ. À sa grande satisfaction, il fut en mesure de traduire le slogan inscrit au-dessus de l'urinoir: *À bas les Anglais**. Il se demanda s'il pouvait encore pisser aussi haut et la pensée fut mère de l'action. Juste un petit jet, mais suffisant pour le satisfaire.

Ils commencèrent par prendre un cognac à la terrasse du café voisin. Les rues étaient pleines de promeneurs, de cyclistes et de buveurs. Des étudiants étaient assis aux fenêtres, au premier étage, hélant leurs amis dans la rue; le rideau se levait sur une soirée parfaite de début d'été dans le quartier.

—Et maintenant, en route vers le premier bar, lança O'Brien.

Ils descendirent vers le sud et se dirigèrent vers une enseigne qui annonçait simplement: *Danseuses**. À l'intérieur, un comptoir de bar ordinaire longeait tout un mur à partir de la porte. Le reste de la longue pièce était rempli de tables et de chaises. Les deux hommes s'installèrent à une table située près du bar et commandèrent de la bière.

—Ils sont venus ici en premier pour prendre un verre. C'est encore Summers qui a payé, exposa O'Brien.

Derrière le bar, un couple d'âge moyen préparait les boissons et, entre deux commandes, bavardait avec un autre couple du même âge assis au bar. L'atmosphère avait un côté domestique et banlieusard, n'eussent été les seins nus des serveuses. Soudain, à l'autre bout de la pièce, un projecteur éclaira l'une des tables ; une serveuse y monta, puis enleva sa jupe, sous laquelle elle était nue. La soirée était encore peu avancée et le public ne comptait qu'une dizaine de personnes. Tous les clients se levèrent de leurs sièges et s'approchèrent de la fille qui se tortillait au rythme du juke-box. Elle se trémoussa pendant environ trois minutes sous le regard des consommateurs, puis elle sauta à terre, remit sa jupe et recommença à prendre les commandes. Lui succéda alors l'autre serveuse, qui se cambra le dos vers l'arrière jusqu'à poser les mains sur le sol, formant une arche. Elle marcha ainsi à l'envers, sur quatre pattes, autour de la table, comme un crabe géant.

O'Brien et Salter restèrent à leur table, près du bar, ignorant les invites polies du barman, qui les incitait à se rapprocher.

O'Brien vit Salter examiner attentivement la salle avant de lâcher :

— Ils ne sont pas ici, n'est-ce pas ?

— Qui donc ?

— Les prostituées. Les agresseurs. Les tapineuses.

Salter confia qu'il les cherchait et que la salle était totalement vide de tout indice des bas-fonds. Abstraction faite de la nudité, on se serait cru un lundi soir chez les anciens combattants.

— *Allons-y**, fit O'Brien. Le prochain est plus animé.

Ils traversèrent la rue et continuèrent vers le sud jusqu'au coin de rue suivant, où ils s'arrêtèrent devant une vitrine recouverte d'affiches proclamant *nus**.

— Les Jardins du Paradis, annonça O'Brien.

Ils écartèrent un rideau et furent accueillis par un jeune assis devant une table de jeu.

— Deux dollars, *messieurs**, dit-il. Et deux dollars pour moi si vous voulez une bonne table.

— *Bonjour, Paul**, le salua O'Brien.

Le jeune leva les yeux.

— *Ah. Monsieur le détective. Encore**. Pour vous, j'ai toujours une bonne table de libre, mais c'est toujours deux dollars pour entrer.

Il se leva et les guida vers la pièce principale de la vieille échoppe, derrière un autre rideau. Là encore, le décor était simple : une petite estrade de planches d'environ un mètre carré avait été montée près d'un mur. La salle était remplie de tables de plastique à quatre pieds, dont la plupart étaient occupées, disposées autour de la scène. Le garçon les conduisit à une table située tout contre l'estrade, sur laquelle les serveuses posaient leurs plateaux entre deux commandes. Il y déposa quelques verres et les deux hommes prirent place.

La foule était jeune, assez jeune pour mettre Salter mal à l'aise. Bien que l'assistance comptât plus d'hommes que de femmes, la salle était pleine de couples. Salter commanda de la bière à une serveuse. Il fut stupéfait de découvrir qu'elle ne coûtait pas plus cher qu'elle ne devait. La musique commença et le même numéro qu'au premier bar débuta. Leur serveuse passa en premier : elle effectua un striptease tonique qui dura bien dix minutes. Pendant la première chanson, elle enleva sa jupe et sa petite culotte ; durant la deuxième, elle défit son soutien-gorge ; finalement, son slip valsa et elle s'agita vigoureusement pendant deux ou trois minutes d'un

air distrait, comme si elle faisait ses exercices mati-
naux en pensant à la journée qui s'annonçait. Salter
en déduisit qu'il n'avait pas à craindre que ces
filles le mettent dans l'embarras.

La danseuse suivante mit un terme à cette sen-
sation. Une musique plus douce se fit entendre et
une fille en jean et tee-shirt se rua sur scène. Elle
avait les cheveux frisés et une ressemblance frap-
pante avec Molly Tripp. Pendant une seconde, Salter
se demanda si on ne lui jouait pas un tour. C'était
une idée absurde, mais il n'en demeurait pas moins
qu'il avait l'impression d'être sur le point de regarder
Molly se dévêtir et de la voir danser le shimmy, nue.
À cette pensée, il éprouva une certaine tension.

Elle commença à danser et enleva presque immédiatement son tee-shirt. Fasciné, Salter fit un signe
de tête approbateur. C'était donc à cela qu'elle res-
semblerait sous sa chemise. La musique recommença
et la fille ôta son jean ; ses jambes étaient fines et
brunes, ni velues ni difformes. Bientôt, elle lança
sa petite culotte d'un coup de pied et se trémoussa
joyeusement autour de la petite scène. Quand elle
s'approcha d'eux, Salter regretta qu'ils eussent une
si bonne table, parce que le projecteur qui la suivait
les éclairait, O'Brien et lui. Il fut soulagé d'entendre
la musique s'arrêter, mais elle reprit presque aus-
sitôt : la fille entama alors une série d'acrobaties
visant à révéler ses parties délicates et tendres sous
tous les angles. Salter s'efforçait d'avoir l'air indif-
férent, mais son attitude suscita l'espièglerie de la
fille, qui s'approcha du bord de l'estrade et se tortilla
juste devant lui, approchant son entrejambe à moins
d'un mètre de son visage. Horrifié, il s'abrita derrière
sa bière : la fille lui adressa une moue boudeuse, fit

un tour et se pencha, projetant son visage vers celui de Salter. Elle passa alors sa main entre ses cuisses pour lui chiper sa bière. La foule acclama sa petite blague. Après quelques applaudissements, le projecteur s'éteignit.

Les lumières se rallumèrent, dévoilant le sourire que O'Brien lui adressait. Salter regarda autour de lui ; il lui sembla que tout le monde lui souriait, en fait.

— Tu penses que tu pourrais la reconnaître, Charlie ? lui demanda O'Brien.

C'est alors que Salter se rendit compte de ce qui se passait.

— C'est toi qui as organisé tout ça, espèce de salaud ! siffla-t-il.

— Ça fait partie de son numéro. On peut le commander pour un ami, alors ce soir je leur ai demandé de te faire honneur. Ça t'a plu ?

Salter décida de révéler à son collègue la dimension supplémentaire de cet épisode.

— Si Summers a vu ça, je comprends pourquoi il est rentré à l'hôtel. Cette fille est le portrait tout craché d'une étudiante dont je pense qu'il était amoureux.

O'Brien cessa de sourire.

— Ça a dû le bouleverser. On dirait que toi, tu l'es.

— Oui, et pourtant je la connais à peine.

Après cette expérience, les deux hommes repartirent en direction de l'hôtel de Salter, où ils prirent tranquillement un dernier verre pour passer en revue leur affaire.

— Tu ne penses pas que ce Dunkley aurait pu le faire ? s'enquit O'Brien.

— Sur le papier, oui. Mais on change d'avis après avoir rencontré le bonhomme. C'est un bon ennemi

– ça ferait presque un mobile en soi – et il a sans doute été plutôt jaloux du jour de chance de Summers. Sans compter qu'il était déjà jaloux de la relation qu'il supposait entre Marika Tils et Summers.

— Et c'est ça que tu appelles « sur le papier » ? Ça irait mal pour Dunkley avec quelqu'un qui n'aurait pas tes sentiments envers lui.

— Je sais, et il faudra sans doute que tu prouves qu'il ne l'a pas fait, simplement pour éviter d'avoir à l'arrêter pour ça. Il a un bon alibi, cependant, comme Carrier. La seule personne qui connaissait Summers et qui n'a pas d'alibi, c'est Marika Tils, et son affection pour lui a l'air sincère.

— Dans ce cas, qu'est-ce qui s'est passé, à ton avis ?

— Summers a été tué soit par un mystérieux inconnu, soit par un mystérieux ami. Mystérieux pour nous, je veux dire.

— Summers a fait entrer son assassin dans sa chambre, ou bien ce dernier avait la clé. Tu ne penses pas que c'est cette bonne femme, cette Homer ? Son histoire à elle non plus ne ferait pas long feu devant un jury.

— Je sais. Mais non. Je persiste à croire à la théorie de la prostituée, *Honree*. À mon avis, le problème est chez toi.

— Mon intuition sur les prostituées de ce quartier est comme la tienne à propos des amis de Summers. Je n'y crois pas, mais je vais vérifier cette piste, pour la forme. Ce qu'il nous faut pour prouver que nous avons tous les deux raison, Charlie, c'est un mystérieux ami de Summers avec tous les mobiles de Dunkley et un certain goût pour le meurtre.

— C'est ça. Gardons les yeux ouverts.

O'Brien offrit de prendre congé le lendemain pour faire visiter Montréal à Salter, mais ce dernier déclina la proposition, arguant qu'il avait beaucoup à faire à Toronto... notamment un cours de squash et un verre avec Molly Tripp.

CHAPITRE 7

Depuis le temps où Salter y courtisait Annie, le Roof Bar avait changé, mais c'était toujours le meilleur bar de Toronto. Les serveurs, qui le reconnurent, l'observaient alors que Molly montait sur la table. Elle enleva son tee-shirt et commença à danser ; puis, tandis que les serveurs se précipitaient pour l'arrêter, elle sauta sur la balustrade en pierre qui faisait le tour du toit, bondit hors de son jean et, nue, prit la pose pendant une seconde. Salter se précipita vers elle ; elle lui prit la main et, ensemble, ils sautèrent de la balustrade et se mirent à voler.

Salter se réveilla en sursaut, en nage. Il avait probablement crié, en plus, mais dans une chambre d'hôtel de Montréal, quelques cris sont permis. Il se doucha et s'habilla en vitesse, puis partit en taxi à la gare où il prit son petit déjeuner en attendant son train. Il avait très envie de lire un journal de Toronto en buvant son café du matin pour que tout revienne à la normale.

À son arrivée à Toronto, il téléphona à sa femme et au sergent Gatenby puis, sans prévenir, se rendit en taxi au bureau de Jane Homer à Wollstonecraft Hall. La secrétaire tenta de l'intercepter, mais au

moment où elle l'annonçait, il passa devant elle et
entra dans le bureau de la directrice. Jane Homer
était plus calme que lors de leur premier entretien.
Elle avait encore l'air mécontente de le voir, mais elle
ne frémissait plus ni de chagrin ni de peur. Salter en
vint au fait rapidement.

— Quand vous êtes-vous rendue dans la chambre
du professeur Summers, madame Homer ?

Elle protesta, aussi fit-il machine arrière en lui
révélant ce qui justifiait sa question.

— Nous savons qu'il a déposé une clé à votre
intention dans votre casier, expliqua-t-il. À environ
deux heures. Nous savons aussi que vous avez eu
cette clé et que vous lui avez écrit une note, que
nous avons en notre possession. Nous avons trouvé
la clé dans sa chambre et le réceptionniste se souvient du reste. Donc, quand êtes-vous allée dans sa
chambre ?

— J'y suis montée pendant la soirée. Vers neuf
heures, finit-elle par répondre.

Salter attendit.

— Je sais que ça a l'air bizarre. Mais David m'a
laissé sa clé pour que je puisse entrer et me servir
un verre en l'attendant. C'est ce que j'ai fait. Mais il
tardait à rentrer. Je suis donc retournée dans ma
chambre et je me suis couchée.

— Et c'est tout ?

— Oui.

Comme elle ment mal ! se dit Salter. Pour quelle
raison cette femme mentait-elle ? Pour moins qu'un
meurtre, il en avait la certitude.

— Vous n'avez rien d'autre à me dire ?

Elle ouvrit un tiroir de son bureau et en sortit un
bout de papier.

— Cette note était dans l'enveloppe avec la clé, dévoila-t-elle.

Salter la lut : « Si je ne suis pas là quand tu rentreras, repasse plus tard. J'ai eu un prodigieux coup de chance. »

— Pourquoi ne me l'avez-vous pas montrée l'autre jour ?

— Parce que je voulais rester en dehors de tout ça. Parce que je n'avais rien à voir avec la mort de David et que j'étais persuadée que ça ne vous avancerait à rien de savoir que nous allions prendre un verre.

— Et alors ? Vous l'avez pris, ce verre ? Question de connaître les autres informations qui, à vos yeux, ne m'avanceront à rien.

— Oui. Je m'en suis servi un pendant que je l'attendais.

— Combien de temps avez-vous attendu ?

— À peu près une demi-heure.

— À quelle heure, donc, pensez-vous avoir quitté la chambre ?

— À neuf heures et demie, environ.

— Autre chose ?

— Que voulez-vous dire ?

— Rien de plus que ce que ça veut dire, madame Homer. Je répète donc ma question : autre chose ?

— Non. Je suis allée prendre un verre dans la chambre de David. Il était en retard. Point final.

— Preniez-vous souvent des verres avec Summers dans des chambres d'hôtel ?

— Ça suffit, inspecteur. J'ai juste eu la malchance de m'être fait piéger là-dedans. Vous le savez.

— Je ne sais rien du tout, madame Homer, sauf ce que je lis dans les journaux et ce que les gens me disent. Donc, c'est tout ?

—Il n'y a rien d'autre. Maintenant, si vous permettez, j'ai un rendez-vous.

Salter réfléchit. Il jugea alors préférable de garder pour lui ce qu'il avait lu.

—Très bien, madame Homer. Je vous demanderais de ne pas vous éloigner, toutefois. Je pense que nous nous reverrons bientôt.

Elle resta silencieuse tandis qu'il se levait et qu'il quittait son bureau.

◆

Il descendit College Street en direction de son bureau, où il fut accueilli par Gatenby qui lui annonça que le surintendant voulait pour le lundi un compte-rendu de l'état d'avancement du dossier.

—Quel dossier? grogna Salter. Quel avancement?

Il s'assit à son bureau et étudia la note que Jane Homer lui avait remise. Ce bout de papier le tracassait et il aurait aimé qu'on l'aide à comprendre pourquoi. Il finit par isoler la phrase qui le dérangeait et appela madame Summers.

—Ici l'inspecteur Salter, madame Summers.

—Bonjour. Je voulais justement vous remercier d'être venu. Je me suis sentie mieux après vous avoir parlé. Pas la grande forme, mais mieux. Que puis-je faire pour vous?

—L'un des collègues de votre mari s'est rappelé une autre phrase qu'il a prononcée vendredi quand il a parlé de son jour de chance. Il a dit que votre mari a affirmé avoir eu « un prodigieux coup de chance ». Ma question est toute simple : aurait-il parlé en ces termes des deux mille dollars qu'il a gagnés en achetant des dollars canadiens?

— Vous avez du flair, inspecteur. Non, il n'aurait pas dit ça. Il ne parlait pas beaucoup à qui que ce soit de ses transactions, mais, comme je vous l'ai dit, il lui est arrivé quelquefois de se faire deux ou trois mille dollars en une journée. Ou de les perdre.

— C'est bien ce que je pensais. Mais alors, qu'aurait-il pu qualifier de «prodigieux»?

— S'il s'agit d'argent? Beaucoup. Cinquante mille ou plus.

— Pourrait-il s'agir de quelque chose d'autre?

— Je l'ignore, inspecteur. Pour moi, ça m'a tout l'air d'être de l'argent.

— Avez-vous eu l'occasion de vérifier son porte-feuille? Peut-être qu'il contient quelque chose qui nous a échappé?

— Vous voulez que je fouille les poches secrètes, c'est ça? Vous voyez, je plaisante déjà. Non, mais je vais regarder. Toutefois, je ne sais pas ce que je dois chercher.

— Moi non plus. Mais la clé du comportement de votre mari ce soir-là, c'est ce coup de chance, et si je peux trouver ce que c'est, nous pourrions découvrir à qui il en a parlé ou qui lui en a parlé.

— Je vais regarder ça cet après-midi.

— Merci, madame Summers.

Salter raccrocha et resta à contempler la note de Summers jusqu'à l'heure de son cours.

◆

Ils jouèrent pendant quinze minutes d'affilée. Salter ruisselait de gouttes de sueur qui allaient s'écraser sur le sol, mais, à sa grande joie, son cœur et ses poumons, bien qu'à la limite de l'éclatement, semblaient s'accoutumer au régime qu'il leur imposait.

—Bien, dit le pro. Faisons une petite partie. Au meilleur des cinq.

Ils firent donc un match au meilleur des cinq points.

—Beaux progrès ! le complimenta le pro en voyant Salter se déplacer lourdement et plonger vers la balle. Formidable !

Le pro l'emporta par trois à deux et donna à son adversaire une tape dans le dos avec sa raquette, entre sportifs.

—Bravo, chef ! s'exclama-t-il encore. Demain, même heure ?

—Oui, lui répondit Salter dans un souffle. Vous trouvez que je m'en sors comment ? J'ai le niveau pour faire une partie avec un autre membre, vous pensez ?

—Bien sûr, Charlie. Vous pourriez jouer avec Bill ou Percy.

Plus tard, Salter prit place au bar, les vaisseaux dilatés et les muscles douloureux, et guetta la porte. Bailey arriva, ponctuel ; Salter lui fit signe d'approcher. Bailey vint vers lui, quelque peu réticent, sembla-t-il à Salter, et s'assit.

—Que diriez-vous d'une partie ? lui proposa Salter.

Cranmer apparut, un doux sourire sur les lèvres.

—Tu pourrais jouer avec lui lundi, Bill, suggéra-t-il. Je dois annuler notre partie.

Bailey eut l'air irrité.

—Bien sûr, concéda-t-il. Inspecteur…

—Charlie, le corrigea Salter.

—Entendu, Charlie. À lundi alors. À quatre heures sur le court ?

—Merci, Bill.

◆

Le vendredi, après deux jours passés à ne rien faire à part jouer au squash et attendre que O'Brien l'appelle pour lui annoncer qu'il avait mis la main sur le meurtrier, il eut rendez-vous avec Molly, pas au Roof mais dans un bar de Church Street installé dans une ancienne station-service où, songea Salter, la nourriture instantanée avait remplacé l'essence instantanée. Une plaisanterie facile lui vint à l'esprit, mais il s'abstint de la dire, car elle était vraiment trop facile.

— Écoutez, lui intima Molly.

Il écouta. Banjos, guitares et voix plaintives. De la country.

— Ah ! s'exclama-t-il.

Salter n'était pas très porté sur la musique, mais celle-là lui faisait battre la mesure du pied.

— Qu'est-ce que c'est ? s'enquit-il.

— The Lady's Choice Blue Grass Band ! Génial, non ?

— Pas mal, répondit-il prudemment.

Après sa sortie nocturne à Montréal et son rêve fiévreux, il ne se sentait pas autorisé à flirter avec elle. Il décida donc que ce serait là leur dernière rencontre. Il avait pensé à elle par intermittence toute la journée et avait été incapable de déterminer si son rêve représentait le désir, la peur ou autre chose encore. Avait-il envie de lui arracher ses vêtements et de se rouler à terre avec elle ? Qu'était-il pour elle ? Un père ? Il regarda dans le miroir qui était derrière le bar : un policier d'âge mûr et une jolie (jeune) fille. Quand elle regardait dans le miroir, elle, que voyait-elle ?

Il était temps de partir.

— Allons au coin de la rue, chez Sam. J'ai un disque à acheter, annonça-t-elle.

Ils terminèrent leur bière et se rendirent chez Sam The Record Man, dans Yonge Street.

— Voilà, fit-elle, farfouillant rapidement dans l'un des présentoirs de disques de country. Le voici !

Elle extirpa un disque de The Lady's Choice Blue Grass Band. Salter esquissa le geste d'attraper son portefeuille, mais elle mit le disque hors de sa portée et son index sur sa bouche pour lui signifier que ce serait leur secret.

— Bon anniversaire ! proclama-t-elle.

— Seigneur, j'avais oublié ! répliqua-t-il.

C'était l'une des premières choses qu'elle lui avait demandées.

Elle se pencha vers lui et l'embrassa juste au-dessous de l'oreille, puis, le plantant là, traversa promptement Yonge Street, tandis qu'il continuait à la chercher du regard sur le trottoir.

◆

Chez lui, il eut droit à un gâteau, à une série de « Joyeux anniversaire ! », à un nouveau stylo plume offert par sa femme et à une corde à sauter de la part de ses fils. Après le dîner, Salter sortit son disque.

— Regardez, dit-il. J'ai entendu ce disque aujourd'hui sur un juke-box pendant que je buvais un café et je suis allé me l'acheter.

Annie prit le disque et lut la pochette. Les garçons regardèrent par-dessus son épaule et se tordirent de rire. Salter resta perplexe jusqu'à ce qu'Annie l'emmenât dans la pièce où se trouvait la chaîne stéréo ;

elle sortit d'une pile un disque dont elle lui montra la pochette. C'était le même disque.

—C'est un groupe de Halifax, lui apprit-elle. Mon frère l'a envoyé à Angus en mars, pour son anniversaire.

—Est-ce que je l'ai déjà entendu?

—C'est celui qui te fait toujours hurler à Angus de l'arrêter.

—Ah oui?

Salter ne trouva rien à dire.

Annie lui ordonna:

—Viens, montons.

Dans leur chambre, elle lui demanda:

—Qui te l'a offert? La femme avec qui tu étais cet après-midi? Celle avec qui tu as une liaison?

—Oui, avoua-t-il. Oui, elle me l'a offert. Mais je n'ai pas de liaison avec elle.

Et il lui dit la vérité ou, en tout cas, le maximum de ce qu'il comprenait de sa relation avec Molly Tripp.

◆

—Ton père a appelé, lui apprit Annie le dimanche matin.

Ils étaient encore au lit, après la fin de semaine la plus étonnante depuis leur mariage. L'inévitable discussion au sujet de Molly Tripp avait débouché sur une discussion plus personnelle à propos de leur relation qui, bien qu'empreinte de bonne volonté, n'avait pas été affinée par une conversation sérieuse depuis longtemps. Cela avait abouti à une cour miniature dont l'apogée avait été une petite lune de miel. Ils avaient ainsi passé la presque totalité de leur fin de semaine à faire l'amour avec plus d'enthousiasme qu'ils n'en avaient manifesté l'un envers l'autre depuis des années. Cette frénésie se solda pour Salter par un léger accès de priapisme. Même à présent, épuisé et parlant de son père, il était encore dur, allongé aux côtés d'Annie.

— Il ne vient pas ? demanda-t-il, plein d'espoir.

— Oui, il vient. Il veut nous présenter quelqu'un.

— Quoi ?

— Une femme.

— Une petite amie ?

— J'imagine. Peut-être qu'il va se remarier.

— Nom de Dieu.

Salter se replia dans la salle de bains. Là, il resta debout sous le jet froid de la douche pendant plusieurs minutes avant d'ouvrir l'eau chaude pour se récurer. Il se sentait purifié, courbatu et propre. Annie entra dans la salle de bains et il leva le bras comme pour se défendre.

— Tu joues au squash ce matin ? s'enquit-elle.

— Si je peux, plaisanta-t-il.

Annie ignora sa facétie.

— Rapporte des choux de Bruxelles de l'une des épiceries chinoises de Yonge Street. Ton père en réclame toujours.

◆

Le pro joua de la main gauche afin d'ajouter au cours un élément de surprise fort salutaire. Il gagna encore assez facilement, bien que Salter eût remporté quelques points qui ne devaient rien au hasard. Après la fin de semaine qu'il avait passée, il se sentait plus léger, plus aérien. Il avait vraiment hâte d'affronter Bailey sur le court.

◆

Son père arriva à six heures, en compagnie d'une dame corpulente dans la cinquantaine vêtue d'un ensemble couleur champignon et portant un chapeau digne de ceux de la reine mère.

— Je vous présente May, annonça son père en la désignant du doigt.

Pendant toute la soirée, il adopta à l'égard de May une attitude de propriétaire, attirant l'attention sur ses points forts quand elle parlait, l'ignorant lorsque la conversation était générale. Cependant, May ne dit absolument rien pendant le dîner ; elle mangea placidement le rôti de bœuf, les choux de Bruxelles et le pouding de Lunenburg préparés par Annie, comme un gros enfant bien élevé.

Après dîner, les garçons disparurent et Annie emmena May faire une promenade pour que les deux hommes puissent discuter en privé.

Son père commença :

— Ça fait deux mois maintenant que je sors avec elle. C'est la veuve de Fred. J'imagine que tu es surpris.

Il avait l'attitude d'un homme qui se trouvait brutalement en possession d'une fortune, bouffi d'orgueil et content.

— Je suis heureux, papa. Annie aussi.

— Heureux de quoi ?

— Eh bien, que tu aies trouvé une amie.

— Elle est plus que ça.

Salter rougit. Il ne se souvenait pas qu'il ait jamais été question de sexe dans la maison de ses parents quand il était enfant, et son père et lui avaient continué dans cette voie. La remarque de son père lui paraissait d'une grivoiserie choquante.

— Ça, c'est ton affaire, répliqua-t-il.

Seigneur.

— Nous n'allons pas nous marier, poursuivit son père, dont le regard virait au lubrique. Nous allons vivre ensemble.

Provocant et fier, il regardait son fils pour s'assurer qu'il avait bien compris.

— Ah. Oui. Bon, alors. Tu ne seras pas tout seul, comme ça, n'est-ce pas ?

— Ce n'est pas seulement pour la compagnie. Je n'ai que soixante-sept ans. Nous avons une liaison.

— Oh, bien. Alors, c'est bon.

Ce récent vieil obsédé ne se tairait donc jamais ?

— C'est plus que bon. Comme disait mon vieux père, « elle est bonne ».

Il se pencha en avant et toucha le genou de Salter, le regard de nouveau salace.

— Tu vois ce que je veux dire ?

Salter prit cette question comme purement rhétorique.

— C'est bien pour toi, papa, dit-il d'une voix forte. Amuse-toi tant que tu le peux, hein ?

Aimerais-tu de ces magazines cochons qu'on trouve en vitrine à la gare ?

Son père en vint au deuxième sujet.

— Je t'ai tout laissé, bien sûr. Ne t'inquiète pas pour ça. Nous avons tous deux de bonnes pensions.

Salter était gêné.

— Dépense tout, papa, avec May. Prends du bon temps. Nous ne manquons de rien.

— Je sais. Je sais qu'elle est pleine aux as.

Son père désignait toujours Annie par le pronom « elle ».

—Mais je pensais que tu espérerais que je te laisserais quelque chose, continua-t-il.

—Dépense-le, papa. Vraiment, dépense-le.

De combien parlait-il ? Mille dollars ? Cinq mille ?

—D'accord. (Son père se leva et se frappa la poitrine.) Nous ne ferons aucune célébration. Ce n'est pas une jeune mariée, bien que souvent je me sente jeune grâce à elle... Les garçons sont sortis, non ? Ils ne disent jamais au revoir convenablement, hein ? Bref. Voilà. Donne-leur ça.

Il sortit deux billets de dix dollars.

—Ça ne se fait plus, de donner de l'argent aux enfants quand on vient en visite, papa.

—Moi, je le fais. Tiens.

Salter prit les billets afin d'éviter une dispute et les posa sur le buffet. À ce moment précis, sa femme et May revenaient ; cette dernière était toujours silencieuse mais, légèrement rougissante, elle arborait un sourire épanoui. Annie prit les choses en mains, animant la conversation avec savoir-faire. Elle embrassa le père de Salter, qui lui prit la tête dans les mains et lui appliqua un gros baiser en retour.

—N'est-ce pas formidable, Charlie ? Nous donnons une fête en leur honneur le 5 juillet, lui annonça-t-elle.

Salter se demanda ce qu'il était advenu de l'idée de ne faire aucune célébration. Il se demanda aussi si sa femme se rappelait qu'ils partaient pour l'Île le 3 juillet. Avant qu'il n'ait le temps d'émettre ces deux objections, Annie précisa :

—C'est moi qui l'ai proposé. Alors, tout ce que vous avez à faire, c'est de venir !

Cette dernière remarque était adressée à l'heureux couple.

Plus tard, au lit, Salter commença à exprimer sa surprise, mais elle l'interrompit :

—Considère les choses égoïstement, lui suggéra-t-elle. Avec un peu de chance, ça te laissera tranquille pour au moins vingt ans.

Salter lui caressa le dos.

—Pas à ce rythme-là, lâcha-t-il.

Il s'enroula autour d'elle sans rencontrer de résistance.

Avant de s'endormir, il demanda :

—Est-ce que tout le monde le fait ?

—Fait quoi ?

—Je te dirai ça demain.

Rechercher Bagdad, songeait-il.

CHAPITRE 8

Le lundi matin, Salter écrivit son compte-rendu des événements jusqu'à ce jour. La plupart des policiers détestaient cet aspect de leur travail ; Salter n'échappait pas à la règle. Un braqueur de banques incompétent pouvait être attrapé en dix minutes, mais il fallait le reste de la journée pour rédiger sur l'incident un rapport qui convienne aux chefs adjoints, aux procureurs de la Couronne et à la Cour suprême. Dans le cas présent, toutefois, cette obligation ne le dérangeait pas trop parce qu'il n'avait rien d'autre à faire et que le fait même d'écrire ce compte-rendu lui permettrait d'étudier l'affaire méthodiquement, l'y forcerait même. Il se livrait depuis deux heures à cet exercice lorsqu'il eut un appel de madame Summers. Celle-ci avait vérifié le contenu du portefeuille ; aucun des billets de loterie n'était gagnant, mais il en restait un dont le tirage devait avoir lieu la semaine suivante. Il n'y avait rien d'autre à signaler. Sauf une chose :

— Il y a un billet manquant, par contre, lui affirma madame Summers.

— Manquant ? Comment le savez-vous ? Lequel est-ce ?

— Celui d'ici. Celui de la semaine. J'étais avec lui quand il l'a acheté la veille, alors je sais qu'il l'avait en sa possession. Il doit l'avoir vérifié puis jeté.

— Quand le tirage a-t-il eu lieu ?

— Jeudi. Les résultats sont publiés dans le journal du vendredi.

— Vous en êtes absolument certaine ? Et ce billet n'est pas quelque part dans la maison ?

— Oui pour la première question et non pour la deuxième. J'étais avec lui, je vous l'ai dit. Et il a rangé le billet dans son portefeuille, comme il le faisait toujours.

Bon, et après ? Salter avait l'impression d'avoir lui-même gagné à la loterie, mais il redoutait de vérifier soigneusement le billet, de crainte que celui-ci soit perdant. Il essaya de se donner un peu de répit en se remettant à son rapport, mais il était incapable d'écrire la moindre phrase. Au terme de quelques minutes d'indécision, il appela O'Brien à Montréal pour l'informer de sa conversation avec madame Summers. Puis il demanda d'un ton plaintif :

— Est-il possible que le billet ait échappé aux enquêteurs qui ont fouillé la chambre, *Honree* ? La corbeille à papier ou quelque chose comme ça ?

— Attends, Charlie. Voilà justement celui qui a étudié la scène du crime. Demande-lui.

Il lui passa un détective, dont l'accent était plus fortement marqué que celui de O'Brien, à qui Salter répéta sa question.

— Il n'y avait aucun billet de loterie dans la chambre, inspecteur. Vous connaissez ces chambres d'hôtel. La fouille n'était pas difficile. Il y avait ses vêtements, la bouteille de whisky, sa valise et le

journal. Et c'est tout. J'ai moi-même vérifié la corbeille à papier. Il n'y avait même pas un papier de
gomme à mâcher. Désolé, inspecteur.

—C'est parfait, détective. Tout simplement parfait. Merci. Repassez-moi *Honree*. Merci. *Honree*?
Écoute. Je pense avoir quelque chose. Je crois que
j'ai trouvé pourquoi c'était son jour de chance. Je
pense qu'il a gagné un gros lot à la loterie et que
c'est pour ça qu'on l'a tué. Pour le billet, je veux dire.
C'est le seul truc suffisamment important pour qu'il
n'ait voulu en parler à personne sans pouvoir le
garder pour lui, si tu vois ce que je veux dire. Qu'est-
ce que tu en penses, *Honree*? C'est du pur *Eurkiouwl
Pworro*.

—Du pur quoi, Charlie?

—Du pur *Eurkiouwl Pworro*. Tu sais bien: le
gars des romans policiers.

Il entendit O'Brien se répéter les deux mots
pour lui-même plusieurs fois, puis pousser un cri
de triomphe suivi par une rapide tirade en français;
O'Brien retransmettait quelque chose à ses collègues. Puis:

—Il y a des failles, Charlie.

—Je sais. C'est peut-être de la foutaise et c'est
probablement de la pure conjecture, mais qu'en
penses-tu?

—Je pense que c'est pas mal, Charlie. Laisse-moi
y réfléchir et on va essayer de trouver comment le
prouver. Je te rappelle cet après-midi.

Bon. Salter trouva le numéro de l'organisme de
loterie et retint son souffle tandis qu'il posait la
première question. Non, personne n'avait encore
réclamé le gros lot de la semaine précédente. En
réponse à la deuxième question, on l'informa que

le billet avait été acheté à Mississauga. À sa connaissance, il n'y avait aucun lien, quel qu'il fût, entre
Summers et Mississauga. Et merde !

Salter sortit déjeuner.

◆

Le sergent Gatenby passa la tête par la porte du
bureau de Salter, qui ruminait après son déjeuner et,
joyeusement, annonça dans un murmure théâtral :

— Des visiteurs !

Salter lui lança un regard dénué d'intérêt.

— Je suis occupé, répondit-il. Une affaire en cours.

— Oh ! Ils sont l'affaire, précisément, insista
Gatenby en roulant des yeux. Une dame et un monsieur. Madame Jane Homer et le professeur Pollock.

Bon. Qu'est-ce que cela voulait dire ?

— Fais-les entrer, Frank.

Pâle et apeurée, madame Homer entra la première.
Pollock la suivait, pipe à la main et bottes à angle
droit.

— Asseyez-vous, les invita Salter, qui attendit.

Pollock se lança.

— J'ai parlé à madame Homer, inspecteur. Je
pense qu'elle a été imprudente et je lui ai conseillé
de venir vous voir. Elle m'a demandé de l'accom-
pagner.

— Parfait. Allez attendre dehors, je vous prie.

— Je pense que madame Homer préférerait que
je reste.

— Monsieur Pollock, je mène une enquête sur un
meurtre brutal, et c'est autre chose que de répondre
à la requête d'un étudiant. Si madame Homer veut
faire une déposition, mon sergent servira de témoin.

Si elle veut un avocat, je me charge de lui en appeler un. Êtes-vous avocat ? Non. Bon. Attendez dehors.

Pollock se tourna vers sa collègue.

— C'est bien ce que je pensais, lui dit-il. Je vais attendre dehors. Si tu as besoin d'un avocat, je veillerai à ce qu'il ait le message.

Jane Homer ne dit rien. Pollock sortit.

— Bon. Madame Homer, vous allez me dire en quoi consistait le cinquième anniversaire que vous fêtiez avec le professeur Summers, n'est-ce pas ? Je vais appeler le sergent Gatenby.

Salter la vit se remettre à trembler. Il alla à la porte et demanda au sergent de lui apporter une tasse de thé. Gatenby revint équipé d'un bloc-notes et d'un stylo.

Salter commença :

— Madame Homer veut faire une déposition. Quand elle aura terminé, dactylographie-la immédiatement pour qu'elle puisse la signer. Allez-y, madame.

Elle se mit à parler d'une petite voix mécanique.

— Quand je suis arrivée à l'hôtel, à Montréal, il y avait une clé qui m'attendait, avec une note dans laquelle le professeur Summers me disait de l'attendre dans sa chambre.

— Nous retranscrirons le texte intégral de la note dans votre déposition, madame Homer. Je la donnerai au sergent.

Elle continua :

— Je suis montée à sa chambre vers neuf heures, mais il n'y avait personne. Je suis donc partie au bout d'une demi-heure.

— Avez-vous fait quelque chose pendant que vous étiez dans la chambre ?

— J'ai pris un verre et j'ai regardé la télévision.

— Je vois. Et quand êtes-vous revenue ?

— À onze heures et demie.

— Pour y passer la nuit ?

— Oui.

— Pour avoir des rapports sexuels avec le professeur Summers ?

— Oui.

— S'y attendait-il ?

— Oui. Nous nous retrouvions chaque année.

— Dans les congrès ?

— Oui.

— Vous couchiez avec le professeur Summers une fois par an à l'occasion des congrès ?

— Oui.

— Vous ne le voyiez jamais à Toronto ?

— Non.

Salter se souvint d'une citation sur les hautes sphères du monde universitaire.

— Je vois. Continuez.

— Quand je suis revenue à onze heures et demie, David était là.

— Mort ?

— Oui.

— Pourriez-vous me décrire la position du corps et l'état de la chambre, je vous prie ?

Elle le fit, avec précision.

— Bon. Avez-vous donné l'alarme ?

— Je suis directrice des étudiantes à…

— Je sais. Vous êtes directrice des étudiantes à Hypocrisie Hall. Et pour que votre adultère annuel ne s'ébruite pas, vous avez passé un meurtre sous silence.

— Oui.

— Et ensuite ?

—Je suis partie le lendemain après-midi.

—Et c'est tout?

—Oui. Et maintenant, je suppose, tout le monde va être au courant.

—Pas nécessairement. Si ce que vous dites est vrai, cela n'a rien à voir avec mon affaire et vous n'y serez pas mêlée si ce n'est pas indispensable. Il est possible qu'on ait besoin de vous pour établir l'heure du décès, ce qui peut s'avérer important, et je ne peux rien faire pour ça. Mais, avant tout, je dois déterminer si vous m'avez tout dit.

—Vous pensez que je mens.

—Je ne pense rien du tout. Vous m'avez raconté trois histoires différentes jusqu'à présent. Maintenant, je ne sais plus quelle version est la bonne.

—Vous croyez que j'ai tué David?

—Non, je ne le crois pas, madame Homer, mais ce que je crois n'a aucune importance. C'est mon métier d'être soupçonneux, surtout quand il y a de quoi.

—Allez-vous m'arrêter?

—Non, sauf si cette histoire se révèle bidon, elle aussi. Est-ce que ce sera le cas?

—Bien sûr que non.

—Bon. Alors, je ne vous arrête pas. Mais j'insiste, madame Homer: avez-vous quelque chose d'autre à me dire?

—Non. Je n'ai strictement rien à voir avec tout ça. Comme tout le monde, je pense que David a probablement été tué par une prostituée ou son associé.

—S'il vous attendait, c'est plutôt invraisemblable, non?

Salter s'interrogeait quand même. Comment être sûr de l'effet qu'aurait pu produire la vision de Molly dansant nue sur une table sur un professeur de poésie romantique un peu entiché d'elle?

— Puis-je m'en aller, maintenant ?

— Je vous demanderai de bien vouloir attendre pendant qu'on tape votre déposition à la machine.

Salter la conduisit dans un petit bureau attenant grand comme un placard. Gatenby leva les yeux de son bloc-notes quand la porte fut refermée.

— Ces congrès universitaires, lâcha-t-il, c'est juste un rassemblement de culs en folie, pour ainsi dire, hein, inspecteur ?

— Tape le rapport, Frank, lui grogna Salter, et dis à Pollock d'entrer.

Pollock entra et s'assit.

— Puis-je fumer, inspecteur ? demanda-t-il en montrant sa pipe et sa blague à tabac.

— Non. Vous savez ce que madame Homer m'a révélé ?

— Oui. Je lui ai dit de venir et de tout avouer. L'odeur vous dérange, c'est ça ?

— Est-ce que je devrais la croire ?

— Oh, oui.

Pollock n'avait toujours pas remballé son nécessaire à fumer.

— Oh, oui ? Et pourquoi donc ?

— Parce que je sais qui a tué David, déclara Pollock qui, ayant désormais l'air d'un homme qui en avait gagné le droit, commença de bourrer sa pipe.

Salter le considéra pendant quelques secondes qui lui semblèrent une éternité. Il sentit affluer toutes les frustrations professionnelles et la turbulence des émotions qui l'avaient assailli au cours des derniers jours. Il explosa :

— Professeur, hurla-t-il de telle sorte que le titre paraissait être une insulte, si vous savez quoi que ce soit sur la mort de Summers, vous êtes légalement obligé de le révéler. Mais s'il s'agit simplement d'une petite théorie que vous avez échafaudée dans votre bureau, alors oubliez-la. Ce dont j'ai vraiment besoin, si toutefois vous en avez, ce sont des renseignements. Bon. Avez-vous quelque chose à dire ? Et nom de Dieu, n'allumez pas cette maudite pipe !

Pollock essuya la tempête plutôt bien.

— Non, répliqua-t-il, je n'ai rien à dire. Par contre, le professeur Carrier, oui. Il devrait être là maintenant. Puis-je aller voir ?

Sans attendre la réponse, il ouvrit la porte qui donnait sur le couloir.

— Le voilà. Entre, Paul.

Carrier apparut, l'air angoissé. Il se laissa guider par Pollock vers la chaise et s'assit. Pollock, les bottes à angle droit, resta debout derrière lui à sucer sa pipe éteinte.

— Vas-y, Paul, dit Pollock.

Carrier leva les yeux vers Pollock, qui hocha la tête et désigna l'inspecteur du bout de sa pipe. Carrier se décida :

— Dunkley n'était pas dans ma chambre jeudi soir quand David a été tué. Ça doit être lui qui l'a fait.

— Attendez une minute, je vous prie. Je comprends donc que vous êtes en train de changer votre version des faits, professeur. Reprenons ça. Quand Dunkley a-t-il été absent de votre chambre ?

— Entre dix heures et minuit.

— Pourquoi m'avez-vous dit qu'il ne l'avait pas quittée ?

— C'est lui qui me l'a demandé. Il m'a juré qu'il n'avait rien à voir avec la mort de David, mais que le sens de l'honneur exigeait qu'il ne révèle pas où il était à ce moment-là.

— Oh, génial. Et vous avez juré, sur votre honneur de professeur, de ne pas le laisser tomber, c'est ça ? Mais maintenant, vous pensez qu'il a pu tuer votre ami. Avant, non. Mais maintenant, oui. Je vois. C'est merveilleux. Qu'est-ce qui vous a fait changer d'avis ?

Pollock intervint.

— C'est moi, inspecteur. Il s'est confié à moi et je lui ai dit de venir vous voir.

— Ah oui, professeur ? Quand ça ?

— Il m'a tout raconté tout de suite, la fin de semaine dernière. Mais ce n'est qu'aujourd'hui que je lui ai conseillé de venir.

— Je vois. Mais avant que je ne vous inculpe tous les deux pour fausse déclaration et dissimulation de preuves, auriez-vous l'amabilité de m'expliquer pourquoi ?

— Jane Homer s'est confiée à moi hier. Elle m'a annoncé que vous l'aviez interrogée deux fois. J'ai pensé que vous la suspectiez peut-être, alors je me suis dit que le moment était venu pour Paul de tout vous raconter.

— Bon. Voyons voir. Vous ne pensiez pas que Dunkley ait pu le faire jusqu'à ce que vous pensiez que je soupçonnais madame Homer. Et là, vous avez pensé qu'il aurait pu. Quel témoin objectif ! C'est une manifestation de la tournure d'esprit des universitaires ? des littéraires ?

— Je m'apprêtais à vous le dire, de toute façon, inspecteur, ou de conseiller à Paul de le faire. J'ai changé d'avis parce que Dunkley pète visiblement les plombs !

— Vraiment ? Et pourquoi donc ? Vous le savez, bien sûr ?

— Qu'est-ce que ça pourrait être d'autre ?

—Peut-être qu'il a une maladie incurable. Peut-être que son chat est mort. Je pourrais vous donner un millier de raisons. Très bien, monsieur Pollock. Laissez-moi vous dire ce que vous allez faire. Je n'ai pas encore décidé de quoi j'allais vous inculper, mais, en attendant, vous allez retourner à votre bureau et y rester, en gardant l'esprit ouvert et les lèvres scellées. Ne vous livrez à aucune spéculation sur cette affaire avec qui que ce soit, sauf si le meurtrier vous demande conseil sur l'opportunité de venir en parler avec moi. Et maintenant, je vous demanderai de sortir. Quant à vous, monsieur Carrier, je vais prendre votre déposition et vous demander d'attendre, vous aussi, pendant qu'on la dactylographie. Il se pourrait que je vous garde pour vous poser d'autres questions. Bien sûr, vous êtes conscient du fait que si Dunkley n'a pas d'alibi, alors, vous non plus.

Pollock s'exclama:

—Oh! Mais c'est ridicule, inspecteur!

—Vous, fermez votre maudite gueule. Dehors! hurla Salter. Allez, ouste!

Finalement ébranlé, Pollock se dirigea vers la porte.

—À mon avis, vous commettez une erreur, inspecteur, dit-il.

—Frank! beugla Salter.

Le sergent passa la tête par la porte.

—Frank, je veux que l'on inculpe le professeur Pollock de dissimulation de preuves. Il peut être libéré sous caution. Qu'il revienne ici à dix heures demain matin.

Salter congédia Pollock et se tourna vers Carrier.

—Bon. Votre déposition, je vous prie, professeur.

L'air abasourdi et sans cesse de téter sa pipe, Pollock fut conduit vers la sortie.

Pendant qu'il attendait que la déposition de Carrier fût tapée à la machine, Salter appela à Montréal. On lui passa immédiatement O'Brien.

—*Honree*, annonça-t-il, il y a du nouveau. Pour commencer, on dirait que tu peux oublier la théorie de la prostituée. J'ai trouvé à qui appartenait le rouge à lèvres qui était sur le verre.

—À Jane Homer?

—C'est ça, mais je crois qu'elle n'a rien à voir avec tout ça.

—Elle se trouvait dans la chambre, Charlie.

—Ils étaient amants, mais ce soir-là elle ne l'a pas vu vivant. Elle est entrée dans la chambre à onze heures trente et l'a découvert mort.

—Et tu la crois, Charlie?

—Oui. Ils se retrouvaient une fois par an. Je l'ai lu dans le journal intime de Summers. C'était leur cinquième anniversaire. Quelqu'un a écrit une pièce de théâtre là-dessus. Ça arrive fréquemment, il semble bien. C'est un cliché.

—C'est romantique. Autre chose?

—Oui, admit Salter avec réticence. Deux de ceux avec qui Summers a dîné n'ont pas d'alibi pour le moment où il a été tué. L'un d'eux était son pire ennemi.

—Ah?

—«Ah» rien du tout, *Honree*. Pour être franc, je pense que c'est ce que ces braves gens appelleraient une intrigue secondaire, mais Dieu seul sait comment ça pourrait coller.

—Mais tu vas interroger ce…

—Dunkley. Oh, bien sûr. Même si tout ça m'a l'air bidon. Il haïssait Summers et Summers le lui rendait bien.

—Donc, il ne l'a pas tué? C'est comme ça qu'on raisonne, chez les policiers anglos?

—Non, non. Ne commence pas à me traiter de *wasp*, *Honree*. Mais tout le monde, y compris ceux qui ne l'aiment pas, affirme que Dunkley n'a sans doute pas tué Summers. Même sa femme. Et Jane Homer.

—Mais tu vas quand même aller le cueillir?

Salter soupira.

—Oui, demain. Je t'appellerai.

Il raccrocha et composa le numéro du directeur du Département d'anglais.

—Professeur Browne? Ici Salter... Non, nous n'avons pas de « Yard », à Toronto. J'aimerais que vous me rendiez un service. Tout d'abord, savez-vous où se trouve Dunkley?

—Oui, il est justement là, au bureau.

—Oh, merde!

—Non, non, inspecteur. *Nil desperandum*. Je voulais juste dire qu'il était au travail, pas à la maison. Il est dans son bureau à lui. Il ne peut pas nous entendre.

—Bien. Pourriez-vous lui donner rendez-vous pour dix heures demain matin? Je veux être sûr qu'il ne quittera pas la ville, mais s'il sait que je veux le voir, je crains qu'il ne disparaisse.

—Vraiment, inspecteur? Il a du sang sur les mains?

—Ne soyez pas idiot. Je pense seulement qu'il pourrait ne pas vouloir me parler. Et s'il vous plaît, professeur, pas un mot à quiconque.

—Motus et bouche cousue. Je vais inventer un prétexte.

Salter reposa le combiné et appela son sergent.

— Je vais en ville, Frank. Faire quelques courses. On se revoit dans la matinée.

Mais Gatenby avait vu l'agenda de Salter.

— Bonne partie, patron ! répliqua-t-il avec effronterie.

◆

Salter était sur le point de perdre, aucun doute là-dessus. Bailey n'était pas très bon, mais le policier ne jouait pas depuis assez longtemps pour avoir atteint son niveau. Néanmoins, il lui donnait du fil à retordre. Il perdit le premier jeu neuf à zéro, le deuxième, neuf à trois et le troisième, neuf à un. Fin de la manche. Salter servait à présent au début de la deuxième manche. Il mit la balle en jeu et Bailey la smasha dans le coin, trop bas. Salter resservit ; la balle alla directement sur le mur arrière, ne laissant aucune chance à Bailey. Deux à zéro pour Salter. Il servit encore et Bailey fit un bon retour ; la balle roula le long du mur latéral gauche pour un coup qui s'annonçait gagnant. Mais Salter alla cueillir la balle en tenant sa raquette à deux mains comme un idiot qui jouerait au golf et se débrouilla pour la rattraper de justesse et la renvoyer longer le mur, prenant Bailey à contre-pied. Bailey regarda fixement la balle pendant un moment, puis lâcha :

— Ce n'est pas autorisé, de pelleter la balle comme ça.

— Je vous laisse le point, alors ? répliqua Salter.

— Non, non. Je disais ça comme ça, c'est tout. En tournoi, ce n'est pas accepté.

— Eh bien, on n'a qu'à jouer comme en tournoi, alors.

— Non, non. C'est bon. Continuons. C'était juste pour vous le faire remarquer.

Salter se prépara à servir. Il n'avait pas l'impression d'avoir « pelleté » la balle. Quand il avait touché celle-ci, il y avait eu un bruit de frappe, doux mais net. Il servit encore une fois. Bailey retourna la balle prudemment et Salter se rua dessus. Il la toucha avec le manche de sa raquette et la balle alla rebondir mollement sur le mur frontal. Bailey se jeta dessus et l'eut au deuxième rebond. Salter laissa filer la balle et se baissa pour la ramasser. Bailey avança la main pour qu'il la lui donne.

— Il m'a semblé qu'elle avait rebondi deux fois, objecta Salter.

— Non, non, répondit Bailey. Elle était bonne.

Il prit la balle et s'apprêta à servir.

Maintenant, Salter savait à quoi s'en tenir. Pendant la première manche, Bailey avait vociféré comme quelqu'un qui court après des poulets. Il se calma quand il eut suffisamment d'avance dans la deuxième manche et donna même quelques conseils à Salter jusqu'à ce que ce dernier gagnât deux points d'affilée, à la suite de quoi Bailey se remit à grogner et à smasher. Dans la troisième manche, Salter ne fit qu'essayer de se défendre face à un Bailey qui se déchaînait contre lui. Le niveau de contact physique augmenta et par deux fois, Bailey renvoya la balle sur son adversaire – intentionnellement, jugea Salter. C'était cependant la première fois qu'il trichait réellement. Salter décida de tenter quelque chose.

Bailey servit, Salter retourna la balle et Bailey la renvoya comme un boulet de canon. D'un effleurement, Salter l'envoya doucement contre le mur frontal comme il avait vu Bailey le faire, puis se ramassa pour ne pas gêner son adversaire. Bailey le heurta à la cheville avec sa raquette et cria :

—Let !

—Quoi ?

—Vous étiez sur ma trajectoire, lui expliqua Bailey. On rejoue le point.

Il servit. Cette fois, Salter retourna doucement la balle contre le mur frontal et bondit pour éviter tout autre « let ». Bailey plongea sur la balle et s'écrasa contre le mur. Il se leva et se secoua :

—Je déteste ces maudites balles amorties, grommela-t-il. Summers faisait ça tout le temps. Ça pourrit le jeu.

Oui, mais c'est permis, pensa Salter avant de servir. Bailey smasha la balle, qui atterrit derrière la ligne. Quatre à zéro pour Salter. Ce dernier servit encore ; cette fois-là, Bailey tenta un amorti contre le mur frontal et manqua son coup. Cinq à zéro. Cela faisait des années que Salter ne s'était pas autant amusé. Il servit encore, mais Bailey effectua un retour parfait et Salter rata la balle. Bailey fit un service très agressif puis courut vers le centre du court avant que Salter n'ait retourné la balle, qu'il reçut dans le dos.

—Nom de Dieu, vous avez tout le maudit court ! hurla-t-il.

—Oui, mais vous vous teniez exactement là où je voulais l'envoyer, répondit doucement Salter.

Salter servit encore et Bailey la renvoya d'un smash gagnant. À présent, Bailey servait prudemment et son jeu précautionneux lui permit de gagner les cinq points suivants sans difficulté. Cinq à cinq. C'est à ce moment-là que les lumières s'éteignirent. Les deux hommes quittèrent le court, ruisselants de sueur.

Devant leurs bières, que Salter insista pour payer, Bailey reprit ses esprits quand Salter lui demanda de lui expliquer ce qui était autorisé, ce qui était « correct » et ce qui était déloyal. Bailey expliqua, mordant à l'hameçon de la feinte humilité de Salter.

— Ces amortis sont « autorisés », dit-il, mais ça casse le jeu. À mon avis, en tout cas. Ce bon vieux Dave le faisait souvent. Vous avez remarqué comme la partie est devenue plus intéressante quand on a commencé à jouer correctement.

— Est-ce comme ça qu'il a gagné la dernière partie que vous avez faite ensemble ?

Bailey eut l'air confus.

— Eh bien, oui, admit-il après quelques secondes. Il ne pouvait pas me battre quand le jeu était ouvert, mais il était très fort à ces maudits amortis.

Ils furent interrompus par la serveuse qui venait faire signer le relevé à Salter.

— Une autre, inspecteur ? demanda Bailey.

— Bien sûr. Demain ?

— Une autre bière, je voulais dire. Mais c'est d'accord. Demain, même heure.

Cranmer apparut à leur table.

— Alors, Bill, comme ça, tu as battu la fine fleur de la police métropolitaine ? s'enquit-il, désignant du menton le relevé que la serveuse apportait à Salter.

Il poursuivit :

— Du nouveau, inspecteur ?

Salter secoua la tête.

— Beaucoup de suspects mais pas d'indices, Percy. Nous continuons à enquêter.

Personne ne voulut approfondir le sujet et les deux joueurs se levèrent pour se diriger vers les douches.

— Après vous, Charlie, déclara Bailey en joignant le geste courtois à la parole.

◆

Le lendemain matin, Salter patientait dans le bureau du directeur du département. Il était dix heures moins cinq et ils attendaient Dunkley.

— Vous voulez que je disparaisse à son arrivée ? demanda Browne.

— Si je peux disposer de votre bureau, ce serait sans doute préférable.

— Je serai à la bibliothèque si vous avez besoin de moi. Ah ! Entre, Stewart. Entre donc. Je suis désolé, mais je t'ai menti. C'est l'inspecteur qui veut te parler.

Browne affecta un sourire et glissa son corps massif par la porte, qu'il referma scrupuleusement derrière lui.

Salter indiqua une chaise, mais Dunkley resta debout.

— Je suppose que c'est toujours au sujet de la mort de Summers ? fit-il.

— À moins que vous n'ayez autre chose sur la conscience, professeur ?

Dunkley croisa les bras et ne dit pas un mot.

— Asseyez-vous, dit Salter d'un ton brusque.

Dunkley s'assit donc et recroisa les bras.

— Bon. J'aimerais savoir où vous étiez entre dix heures et minuit le soir où Summers a été tué.

— Je vois qu'on m'a trahi. Je n'ai rien à dire.

— Dans ce cas, vous pouvez prendre votre chapeau et venir ne rien dire au poste.

— Je suis prêt.

Salter se leva.

— Eh bien, allons-y.

Les bras toujours croisés, Dunkley le précéda dans le couloir, où ils tombèrent sur Marika Tils et Paul Carrier pris dans une conversation rapprochée et animée. *Et merde!* se dit Salter. *J'ai oublié de recommander au gros directeur de la boucler.* Carrier était pâle. Marika Tils agrippa Dunkley au moment où il passait, mais Dunkley se secoua pour lui échapper et se dirigea d'un pas décidé vers l'ascenseur. Les deux hommes quittèrent l'édifice et se rendirent au poste de police dans la voiture de Salter.

— Bien, fit Salter une fois qu'ils furent dans son bureau. Vous avez le droit de demander la présence d'un avocat et de garder le silence si vous voulez, parce que vous êtes soupçonné, mais je ne vous accuse de rien pour le moment. Je veux simplement la vraie histoire.

Dunkley regarda par la fenêtre et croisa les jambes, se refermant encore davantage.

— Pour l'amour du ciel! s'exclama Salter, vous êtes un ennemi notoire de Summers, vous étiez à Montréal et vous refusez de dire où vous vous trouviez quand il a été tué. Qu'est-ce que je dois faire, à votre avis?

Dunkley regardait fixement dehors.

Salter fit une autre tentative.

— Si vous ne parlez pas, je devrai envoyer à votre domicile une escouade chargée de chercher des preuves, du sang ou n'importe quoi. Et s'il y en a, ils le trouveront.

Finalement, Dunkley parla.

— Vous ne trouverez rien, dit-il. Je n'ai pas tué Summers.

— Alors, auriez-vous l'amabilité de m'expliquer enfin pourquoi vous ne voulez pas dire où vous étiez?

— Je n'étais pas seul, voilà tout. C'est une question de loyauté. Je l'ai dit à Carrier et il m'a donné sa parole.

— Oh, fait chier! lâcha Salter, exaspéré. Sergent! Je veux que les gars aillent chez cet homme et qu'ils y cherchent les trucs habituels. Bouclez-le-moi pour entrave à la justice.

Dunkley abandonna sa pose.

— Suis-je en état d'arrestation?

— Bien sûr que vous êtes en état d'arrestation. Qu'est-ce que vous vous imaginez? Pour être franc, professeur Dunkley, je ne fais qu'assurer mes arrières. Je me trompe peut-être, mais je ne pense pas que vous ayez les couilles de tuer une souris. Ce que je pense, c'est que là, maintenant, vous êtes sur une sorte de trip, mais je suis trop occupé pour trouver ce que c'est. Quand j'aurai un moment, je vous interrogerai de façon plus approfondie, juste parce que je serais curieux de savoir jusqu'où vous pouvez aller.

— Dans la pièce du fond? Où personne ne peut ni voir ni entendre?

— Non. J'aurais trop peur que ça vous plaise. Non, juste ici. Je pourrais inviter quelques amis, cependant. Maintenant, asseyez-vous là et ne résistez pas à l'arrestation. Mon sergent risque de vous malmener méchamment si vous essayez de vous enfuir.

Mais quelque chose avait tracassé Salter toute la nuit. Il emprunta un bureau vide et s'assit, muni d'un bloc de papier, pour se remettre à l'écriture de son rapport. Au terme d'une demi-heure de détails laborieux, il s'arrêta et retourna à la première page. Il lut la liste des objets qui avaient été trouvés dans la chambre, encore et encore. Puis il lut le compte-rendu de la découverte du corps et, pour la première fois, eut la solide confirmation qu'il était sur la bonne voie. Il appela O'Brien, mais celui-ci était sorti, et on le mit en communication avec le détective qui était entré le premier dans la chambre de Summers.

— Il y avait un *Globe and Mail* dans la chambre, révéla le détective en question.

— Dans quel état était-il ?

— Il y avait du sang dessus.

— Non, détective. Je veux dire, avait-il été lu ?

— Il était ouvert, oui.

— À quel cahier ? Le *Globe and Mail* est en trois ou quatre sections.

— Au premier cahier. À la deuxième page.

— Et les autres cahiers ? Affaires, sports ?

— On le voit sur la photo. Ils étaient intacts.

— Merci, détective. Dites au sergent O'Brien que j'ai appelé, voulez-vous ? Et dites-lui aussi que je pense encore que j'ai raison.

Pris d'une excitation fébrile, il composa le numéro de madame Summers. Dès qu'elle répondit, il demanda :

— Vous avez dit que vous avez conduit votre mari à la gare vendredi matin. Était-il très en retard ?

— Il a dû courir comme un dératé, inspecteur. Ça m'a surprise.

— Il ne s'est pas arrêté pour acheter un journal ?

— Non, je vous l'ai dit. Il était vraiment en retard.

— Désolé, madame Summers. Mais a-t-il eu l'occasion de lire le journal à la maison ?

— Nous ne sommes pas abonnés. J'ai mis fin à notre abonnement quand il a commencé à s'intéresser au courtage en marchandises, parce qu'il

consacrait la première heure de la journée à compter
ses gains ou ses pertes. Ça me rendait folle.

— Merci, madame Summers.

Encore une petite vérification : la courtière.

— Leslie Stone ? Ici l'inspecteur Salter. Je voudrais vous poser une question à laquelle vous avez
déjà répondu, mais j'aimerais être sûr de votre
réponse. Quand vous avez parlé au professeur
Summers de son profit sur le dollar canadien, était-il
vraiment content ?

— Absolument, shérif. Il a poussé des cris de
joie et parlé de la chance qui lui souriait. Il disait
que c'était vraiment son jour de chance.

— À votre avis, que voulait-il dire ?

— Pour moi, il avait reçu plusieurs bonnes nouvelles ce jour-là.

— C'est aussi ce que je pense, madame Stone.
Merci.

— De rien.

Bon. Parmi tout ce monde-là, à qui Summers
avait-il donc parlé de son billet de loterie ? Le fait
que ce billet ait été acheté à Mississauga – fait qui,
s'il suivait la piste que lui dictait son intuition, pouvait paraître absurde – s'éclaircirait de lui-même, il
en était sûr. Mississauga était situé tout près de
Toronto, sur le bord du lac, en direction d'Oakville.
Nombreux étaient ceux qui y vivaient et travaillaient
à Toronto et inversement.

Il resta un moment assis là, à se demander ce
qu'il devait faire ensuite. Il était désormais sûr de
la raison pour laquelle Summers avait été tué ; il
était également certain de savoir qui l'avait fait, si
seulement son cerveau voulait bien régurgiter cette
information. Il rappela O'Brien à Montréal et le

trouva à son bureau. Après quelques plaisanteries, Salter déclara :

— J'en suis sûr, *Honree*. Summers a acheté un billet de loterie et il était en train de vérifier le numéro en page deux du *Globe and Mail* vendredi après-midi dans sa chambre d'hôtel. Et après ça, il a raconté à tout le monde que c'était son jour de chance. Celui ou celle qui a tué Summers est en possession de ce billet de loterie. Il y a juste un hic : le billet gagnant a été acheté à Mississauga et je ne vois pas comment Summers aurait pu aller l'acheter. Et même s'il l'a fait, l'autre billet, celui que sa femme l'a vu acheter, a disparu, en tout cas.

Suivit un long silence. Puis O'Brien assura d'une voix réconfortante :

— Tu as sans doute raison, Charlie, mais il manque quelque chose. Il faudra que tu attendes pour voir qui encaisse le gros lot.

— Ouais, t'as raison. Et si c'est une petite vieille de Mississauga, je la foutrai en prison en l'accusant d'avoir été à Montréal ce soir-là, d'avoir entendu parler du billet gagnant de Summers, de l'avoir frappé à la tête et d'être revenue en douce à Mississauga sans que personne le remarque.

— As-tu d'autres suspects, Charlie ?

— J'ai bouclé Dunkley et j'ai encore un gars à interroger, un petit bonhomme tranquille, un collègue de Summers, qui a l'air inoffensif. Mais j'en apprends tous les jours sur les professeurs distraits qui ne sont pas ce qu'ils paraissent.

— Je te conseille de laisser reposer tout ça pendant un moment, Hercule. Laisse tes petites cellules grises travailler là-dessus.

— Et comment je m'y prends pour ça, *Honree* ?

— Va aux courses.

Salter raccrocha. Sa théorie se dissolvait dans ses mains, mais il était incapable d'y échapper. Il ne voyait pas ce qu'il pouvait faire. Il resta là, assis à son bureau, désœuvré, jusqu'à l'heure de sa partie avec Bailey, activité qui, songea-t-il en se levant pour se rendre au club de squash, recevrait certainement l'approbation de O'Brien, car elle l'absorberait suffisamment pour que son esprit, libéré, travaille inconsciemment sans que lui-même interfère.

◆

Bailey l'emporta encore, mais, cette fois-là, Salter faillit gagner une manche.

— Vous devenez plutôt bon, Charlie, reconnut Bailey. Je ne peux vraiment pas me relâcher !

La prochaine fois, je t'aurai, mec, se dit Salter.

— Une bière ? proposa-t-il.

— Très volontiers. Ça coûte cher en bières, d'apprendre le squash.

Bailey essayait d'avoir le triomphe modeste, mais il avait du mal.

Les deux hommes burent leurs bières tandis que Salter écoutait les quelques conseils utiles dispensés par son adversaire et maître. Le pire, ce fut lorsque Bailey, dans un sursaut d'expansivité et à l'encontre de toute étiquette, tenta de payer la bière. Salter arracha la facture des mains de la serveuse et rappela :

— C'est au perdant de payer.

— OK, OK, concéda Bailey. Mais ça peut être dispendieux.

Salter but rapidement sa bière en s'efforçant d'être agréable. *Nom de Dieu*, pensa-t-il, *ce n'est qu'un jeu !*

En quittant le club, il se dirigea vers la station de métro tout en réfléchissant à Summers, à Dunkley, aux billets de loterie, à Mississauga, mais il aboutissait toujours à une impasse. Il songea sérieusement à appeler Molly Tripp, mais il en rejeta l'idée parce qu'aucune excuse ne lui venait à l'esprit et parce qu'il ne voulait pas qu'elle le voie dans cet état d'amertume. Sans compter qu'Annie le devinerait probablement.

Il rentra chez lui, mangea son dîner sans cesser de ruminer, grogna contre les enfants sous prétexte qu'ils regardaient la télévision toute la journée, tourna le dos aux timides avances d'Annie dans le lit et se réveilla déprimé, comme au bon vieux temps.

CHAPITRE 9

Arrivé au bureau, il téléphona à O'Brien, son seul ami, pour bavarder un peu, mais le Franco était sorti, comme de juste. Le plus vieux sergent du Service lui apporta un café et lui rappela que Dunkley était toujours en cellule.

Salter lui confia :

— Ce n'est pas lui qui l'a fait, Frank. Je suis revenu exactement au point de départ. Celui ou celle qui a tué Summers l'a fait pour un maudit billet de loterie gagnant ou quelque chose du genre. (Sa confiance dans cette théorie s'amenuisait.) Et quelqu'un savait pourquoi c'était le jour de chance de Summers.

— Alors essayez quelque chose dans ce sens, suggéra Gatenby. Demandez-leur encore directement s'ils ont une idée de la raison pour laquelle c'était le jour de chance de Summers.

Quel trou de cul ! pensa Salter, sans réfléchir. Néanmoins, c'était à tenter. Pour commencer, il appela Usher. Il concocta une question indirecte.

— Monsieur Usher, interrogea-t-il, vous souvenez-vous si quelqu'un est resté seul à un moment donné vendredi soir et si quelqu'un, hormis Summers, avait un comportement étrange ? Je veux dire… est-ce qu'à un moment donné, par exemple, vous vous êtes tous retrouvés aux toilettes, sauf Summers et quelqu'un d'autre, quelque chose comme ça ?

Mais Usher était incapable de se rappeler quoi que ce fût. Même chose pour Marika Tils et Carrier.

Salter abandonna.

— Frank ! appela-t-il. Amène-moi Dunkley ici.

Lorsque le professeur fut devant lui, légèrement débraillé après une nuit en cellule, Salter adopta la sécheresse et la ruse.

— Monsieur Dunkley, avant d'aborder le reste des accusations, j'aimerais éclaircir un ou deux détails. Nous savons maintenant que vous aviez un mobile et l'occasion de tuer Summers. Quelle est la goutte d'eau qui a fait déborder le vase ? Quel est donc ce coup de chance de Summers que vous n'avez pas pu supporter ? En passant, quand s'est-il confié à vous ? Au bar ?

Dunkley le toisa avec mépris.

— C'est pathétique de vous voir patauger comme ça, inspecteur. Est-ce une habitude ?

Salter rendit son regard à Dunkley, se demandant si ça valait la peine de l'accuser de quoi que ce soit ; il était en effet plus sûr que jamais qu'il ne tenait pas le bon coupable. Leur entretien fut interrompu par une agitation à l'extérieur du bureau. Un agent passa la tête par la porte pour annoncer qu'un certain professeur Pollock semait le trouble.

— Amenez-le ici, ordonna Salter.

Dès que Pollock fut introduit dans le bureau, il se rua immédiatement sur Dunkley, le frappant assez fort pour le faire tomber de sa chaise. Ils roulèrent ensemble sur le sol, Pollock tentant de donner des coups de poing à Dunkley.

—Espèce de maudite pourriture ! hurlait Pollock. Gros porc dégueulasse !

D'autres injures suivirent.

Salter agrippa les deux hommes pour les séparer et retint Pollock, qui n'était que crachats et jurons, tandis que Dunkley, debout contre le mur, remettait de l'ordre dans ses vêtements. Quand Pollock cessa de crier, Salter relâcha sa prise et le professeur bondit à travers la pièce pour essayer à nouveau de frapper Dunkley. Ce dernier se tapit sans faire aucun effort pour se défendre. Salter tira de nouveau Pollock en arrière et le traîna hors du bureau, où il le remit entre les mains d'un agent qu'il chargea de le « mettre à l'ombre pour qu'il se rafraîchisse les idées ».

Quand il retourna dans son bureau, Dunkley s'était rassis.

—Qu'est-ce qui s'est passé ? s'enquit Salter.

—Je n'en ai pas la moindre idée, répondit Dunkley, qui s'efforçait de reprendre sa pose initiale.

—Oh, pour l'amour du ciel… Frank !

Le sergent pointa le bout de son nez par la porte, arborant un sourire joyeux.

—Ramène-moi cet idiot dans sa cellule, veux-tu ? Je te dirai quand t'occuper de lui.

—Il y a une femme qui veut vous voir, chef, lui annonça Gatenby, roulant des yeux pour lui faire comprendre que Dunkley ne devait pas savoir de qui il s'agissait.

—Entendu. Emmène ce monsieur érudit et amène-la-moi.

Marika Tils entra, l'air effrayé.

—*Cheurchey la** maudite *femme**, déclama Salter.

—Quoi ?

—C'est un truc en français. Ça signifie que j'aurais dû me douter que c'était vous.

—Eh bien, vous aviez raison. Le professeur Pollock est-il venu vous voir?

—Oui. Les professeurs Dunkley et Pollock se sont retrouvés dans mon bureau et ont voulu se battre. Ou, plutôt, Pollock a voulu battre Dunkley. Le problème, c'est qu'il a oublié comment faire, si toutefois il l'a déjà su, de sorte qu'il n'a pas causé grand mal à Dunkley. Frapper quelqu'un est plus difficile que ça en a l'air à la télévision.

—Ils se battaient à cause de moi.

—Ils se disputaient vos faveurs, c'est ça?

—Oui.

—Je plaisantais. C'était vraiment ça?

—Oui. Toby a découvert que Dunkley avait couché avec moi.

—À Montréal, bien sûr, ce fameux vendredi soir. Qui est Toby?

—Toby Pollock. Oui, à Montréal.

—Mon sergent avait bien raison. Vos congrès ressemblent vraiment à de gigantesques parties de lits musicaux.

—Je ne voulais pas coucher avec Dunkley.

—Racontez-moi tout. Qui a fait quoi, où, pourquoi et surtout quand.

Tous, ils commençaient vraiment tous à écœurer Salter. Dans sa tête bourdonnait une idée qui n'avait rien à voir avec ces absurdités, mais il devait achever cette partie de son enquête, juste au cas où cette idée serait folle.

Elle se lança:

—Dunkley a toujours été jaloux de David et moi.

—Pas de Pollock, qui était pourtant votre amant, mais de Summers?

— Oui. Je vous l'ai dit, il ne sait rien pour Toby et moi.

— Il est au courant, maintenant. Continuez.

— Je vous l'ai dit, Summers et moi étions amis, pas amants. Mais Dunkley pensait que nous l'étions. Amants, je veux dire. Il nous voyait toujours ensemble et il en a tiré des conclusions. Il était jaloux parce qu'il voulait coucher avec moi, mais je ne l'aimais pas. Souvent, quand on buvait un verre, à une fête par exemple, il me poussait dans un coin et me demandait d'aller au lit avec lui. Mais je refusais chaque fois et je pensais qu'il avait renoncé parce qu'il m'avait… comment on dit déjà… *fouté* la paix ?

— Foutu la paix.

— C'est ça. Ça n'avait pas l'air grammaticalement correct. En tout cas, il m'a foutu la paix. Jusqu'à Montréal. Quelqu'un lui avait rapporté des commérages sur David et son rendez-vous annuel avec une femme au congrès.

— Vous étiez au courant ?

— Tout le monde était au courant. David l'avait raconté à tout le monde. Mais il n'avait jamais dit de qui il s'agissait. Quand David nous a tous invités à dîner en nous parlant de son jour de chance et qu'il est rentré tôt à son hôtel juste après mon départ – je suis moi aussi retournée de bonne heure à mon hôtel –, Dunkley a additionné deux et deux et en a conclu que c'était moi, son rendez-vous annuel, son jour de chance, pour ainsi dire. Quand il est rentré avec les autres à l'hôtel, il a attendu un petit moment avant d'appeler la chambre de David. Il n'a pas eu de réponse ; je suppose que David était déjà mort. Mais il s'est figuré que David se trouvait avec moi.

Il est donc venu à ma chambre et il a martelé la porte. Dans un premier temps, je n'ai pas répondu, mais il a continué à taper comme un fou, alors, à travers la porte, je lui ai dit de partir. Mais il criait qu'il savait que David était là, avec moi, et qu'il ne s'en irait pas, alors je lui ai ouvert la porte pour qu'il constate par lui-même. Là, il a été gêné. Il m'a dit combien il m'aimait et m'a demandé de le laisser rester avec moi. Et ça n'en finissait plus. À la fin, je me suis dit qu'il partirait peut-être une fois que je lui aurais donné ce qu'il voulait, et je le lui ai demandé. Il m'a assuré que oui, et c'est ce que j'ai fait.

— Vous l'avez laissé vous faire l'amour pour vous débarrasser de lui?

— Je n'en pouvais vraiment plus, inspecteur. Et puis, ça n'avait pas d'importance.

— Pour Dunkley, ça en avait.

— Oh, oui. Après, il m'a remerciée. J'ai enfin pu m'en débarrasser. Je pensais que c'était une affaire terminée jusqu'à aujourd'hui, où je me suis rendu compte que j'étais son seul alibi et qu'il ne s'en servirait jamais parce que c'est un homme d'honneur.

Elle parlait sans passion; elle était manifestement exténuée.

— Vous avez donc décidé de venir me voir.

— Non. J'ai été idiote. J'en ai parlé à Toby. Il est devenu fou. (Elle s'affaissa sur sa chaise.) Quelle histoire pour une toute petite baise de rien du tout!

— Je vais m'occuper de ces deux-là, madame Tils. Rentrez chez vous et débranchez le téléphone. Une dernière question: êtes-vous sûre de l'heure à laquelle Dunkley était dans votre chambre?

— Certaine. À onze heures, il martelait ma porte. À onze heures dix, il était dans ma chambre. À minuit, il était dans mon lit. La télévision était allumée. Les nouvelles, la météo et le «Ô Canada».

Malgré son irritation, Salter se mit à rire :

—Il y a longtemps que vous auriez dû me parler de tout ça, madame Tils. Comme vous dites, nous avons tous été plongés dans une grande confusion pour une toute petite baise de rien du tout.

Elle fit une grimace et se leva.

—Vous savez ce qui me fait chier, inspecteur ? C'est que nous ne pourrons pas rester tous les trois au département après ça et qu'il faudra que l'un de nous parte. C'est Dunkley qui devrait partir, ou alors Toby. Mais c'est moi qui partirai. Eux ont des postes permanents, moi, je ne suis rien d'autre qu'une femme qu'ils se disputent. Et mon contrat ne dure qu'un an.

Elle mit son sac sur l'épaule et sortit.

Salter fit venir son sergent.

—Frank, dit-il, je veux que tu me gardes ces deux gars pendant le reste de la journée. À la fin du quart de jour, laisse-les partir, un à la fois, et préviens-les que si l'un des deux parle à Marika Tils ou essaie de parler à l'autre avant que je lui en donne l'autorisation, ce sera une infraction criminelle.

—Mais ce n'est pas vrai, hein, chef ? demanda Gatenby d'une voix de paysan dubitatif.

—Bien sûr que non, espèce d'imbécile ! Mais s'ils me croient, ça devrait les tenir à l'écart l'un de l'autre pendant quelques heures. Laisse partir Dunkley en premier ; dis à la patrouille de le raccompagner chez lui, d'attendre une demi-heure, puis de revenir chercher Pollock et de faire la même chose. Ensuite, demande aux gars de rester devant chez Marika Tils jusqu'à mon signal.

—Bien, chef. En tout cas, si j'avais besoin d'une garde rapprochée, c'est à elle que je donnerais les pleins pouvoirs, commenta Gatenby.

Salter se demanda s'il se moquait de lui.

Lorsque Gatenby revint, Salter regardait toujours par la fenêtre, songeur.

—Chou blanc, chef ?

—Chou blanc, Frank. Dunkley ne savait pas. Personne ne le savait.

—Pourtant, quelqu'un doit bien savoir, objecta Gatenby.

Dans une minute, se dit Salter, *il va me demander si j'ai bien regardé dans toutes mes poches, comme le faisait ma mère quand j'avais perdu quelque chose.*

Gatenby persévéra :

—Peut-être qu'il l'a dit à quelqu'un d'autre ?

Très rarement, sa mère insistait jusqu'à ce qu'elle suggérât un endroit auquel il n'avait pas pensé – le bon endroit. « L'as-tu laissé dans ton imperméable ? demandait-elle. Tu l'avais quand tu es parti à l'école, mais pas quand tu es revenu à la maison. »

Salter regarda fixement Gatenby pendant un très long moment. Puis :

—Frank, s'écria-t-il. Tu es un maudit génie !

—J'essayais juste de vous aider, se défendit Gatenby. Ce n'est pas la peine d'être sarcastique.

—Je n'étais pas sarcastique, Frank. Tu es vraiment un maudit génie. Maintenant, laisse-moi tranquille.

Il examina tous les détails pendant une heure. Sa théorie devait être bonne, même s'il manquait encore une pièce au casse-tête. Pour finir, il passa deux coups de téléphone, le premier à O'Brien, le second au club de squash.

O'Brien lui fit des recommandations :

— Il faudra que tu sois prudent, Charlie. S'il découvre tes intentions, tu ne trouveras rien. Il se pourrait que tu ne trouves rien de toute façon, s'il l'a détruit.

— Je vais trouver quelque chose, *Honree*, j'en suis sûr. Il ne peut pas dissimuler un truc comme ça.

— Si c'est bien lui qui l'a fait.

— Je sais que c'est lui.

— Saute-lui dessus, Charlie. Fais-lui peur.

— OK, *Honree*. Je te rappelle.

— Bonne chance.

Salter devait encore attendre l'après-midi avant de pouvoir se rendre au club de squash. Il alla marcher ; il prit College Street jusqu'à Parliament Street, puis fit une longue promenade jusqu'à Cabbagetown, le quartier où il avait grandi, à une époque où les gens cultivaient encore des choux devant leur maison. Quand il se fut écoulé suffisamment de temps, il mit le cap sur le club de squash pour intercepter Bailey. Mais il téléphona d'abord à Gatenby.

— Frank, fit-il dès que le sergent décrocha, envoie une voiture à cette adresse. (Il lui donna les coordonnées du domicile de Bailey.) Je veux qu'on fouille cet endroit de fond en comble. Je demanderai un mandat demain.

Il expliqua au sergent ce qu'il recherchait.

— Entendu, patron, acquiesça Gatenby. Comme au bon vieux temps, hein ? Pour vous, je veux dire. Moi, j'ai toujours été à la circulation.

— Bouge-toi, pour l'amour de Dieu, Frank ! J'aurais dû faire ça il y a une heure déjà.

Il revint sur ses pas et se posta au bar, près de la porte. Quelques minutes avant quatre heures, Bailey apparut et Salter le héla.

— Je peux vous dire un mot, Bill? J'en ai pour une minute.

Bailey s'assit.

— Je joue avec Percy à quatre heures, prévint-il.

Pas sûr, songea Salter avant de prendre une profonde inspiration.

— Bill, commença-t-il, si Summers a gagné sa dernière partie contre vous, pourquoi a-t-il payé la bière?

Bailey devint gris; Salter aurait pu s'arrêter là, mais il en était incapable:

— Et quand il vous a appelé depuis Montréal, vous a-t-il dit combien il avait gagné à la loterie?

Il avait mis en plein dans le mille, mais Bailey avait eu le temps nécessaire pour préparer sa réplique.

— Il n'avait pas gagné à la loterie, rétorqua-t-il. Pas à ma connaissance.

Salter tenta un mensonge.

— Il a annoncé à son courtier qu'il avait gagné une fortune à la loterie. Il vous a appelé juste après. Il ne vous a vraiment rien dit?

Cranmer arriva et Bailey se leva.

— Non. Pas un mot. Bon sang, pauvre gars. C'était donc ça?

— Eh oui, c'était donc ça, Bill, répéta Salter.

Et les deux hommes disparurent dans les vestiaires.

Ai-je tout foutu en l'air? s'interrogea Salter en attendant qu'on l'appelle de chez Bailey. *Me suis-je trompé?*

Cinq minutes plus tard, Cranmer sortit des vestiaires en tenue de squash.

— Vous n'avez pas vu Bill? demanda-t-il à Salter. Il a disparu et nous devons commencer notre partie à quatre heures dix.

Salter plongea sur le téléphone.

— Notre homme est en route, annonça-t-il dès qu'il eut la communication. Retenez-le à son appartement, sous n'importe quel prétexte. J'arrive tout de suite.

Il dévala l'escalier de service du club de squash et, en quelques secondes, il put réquisitionner une voiture de patrouille qui passait par là. En route vers l'appartement de Bailey, il appela Gatenby par la radio du véhicule.

— Du nouveau ? Et comment donc ! s'exclama le sergent. Votre homme a vu notre auto devant son appartement et il a filé. Luther le poursuit avec la voiture de patrouille. Ils vont en direction du bord du lac. Luther voudrait savoir jusqu'où il peut aller pour le cueillir si ça se transforme en vraie poursuite.

— Dis à Luther qu'on le recherche pour meurtre. Ne le perdez pas.

Il voyait la lumière au bout du tunnel. Il restait encore quelques centaines de mètres à parcourir, mais le cheval de Salter émergeait tout doucement du peloton, fonçant tout droit sur la ligne d'arrivée.

— Et la fouille, ça donne quoi ? s'enquit-il.

— Rien pour le moment.

— Dis au gars de rester sur place. J'arrive.

Il fallut encore dix minutes pour être à l'appartement de Bailey ; ils s'étaient frayé leur chemin au moyen de tous les signaux sonores et visuels dont la voiture était capable. Dans l'appartement, Salter tomba sur un détective assis, en train de fumer, qui lui annonça :

— La phase un est terminée, patron. Il ne reste plus aucune cachette évidente. La prochaine étape prendra un bon moment. Vous voulez que je me lance ?

—Pas encore. Peut-être plus tard. Il se pourrait qu'on n'en ait pas besoin. (Salter regarda autour de lui.) Il court, et c'est aussi bien.

Il arpenta l'appartement ; il jeta un coup d'œil à tous les tiroirs que les perquisiteurs avaient laissés ouverts et ramassa une petite clé métallique attachée à un bracelet élastique qui était sur le comptoir de la cuisine.

—Où avez-vous trouvé ça ?

—Dans son panier à linge. Nous avons pensé que c'était tombé de son short de tennis.

—De squash, rectifia Salter distraitement.

—C'est important ?

—Peut-être.

Le chauffeur de la voiture qu'il avait réquisitionnée apparut sur le seuil de la porte.

—Un message pour vous, monsieur. Le gars qu'ils poursuivaient a fait une sortie de route en essayant de prendre la 407. Ils attendent l'ambulance.

—Reconduisez-moi au club de squash, ordonna Salter.

Il se tourna vers le détective :

—Rangez-moi tout ça et attendez-moi. Ne cherchez rien d'autre pour le moment.

Une fois dans la voiture de patrouille, il dit :

—Vous pouvez éteindre la sirène.

Mais quand ils arrivèrent au club, il grimpa quatre à quatre l'escalier qui menait aux vestiaires, où s'alignaient les vide-poches en bois. La clé était celle du n° 23. Avec appréhension, Salter scruta le fond du casier. À l'intérieur, se trouvaient deux billets de loterie.

◆

—Qu'est-ce qui vous a mis sur la piste ? lui demanda le surintendant.

—Le relevé de carte de crédit correspondant aux bières consommées au club de squash, répondit Salter. Dès le début, je savais que Summers avait gagné la partie de mercredi soir, mais qu'il avait payé les bières. Pourquoi ? Soit par générosité, ce qui aurait légèrement fait chier Bailey, soit parce qu'ils avaient parié autre chose. Quand j'ai découvert qu'il manquait un billet de loterie, j'ai compris ce qui s'était passé. Ils avaient parié leurs billets de loterie. Ce n'était pas grand-chose, à un dollar le billet, mais celui de Bailey était gagnant et Summers n'a pas pu s'empêcher de lui téléphoner de Montréal pour pavoiser. Bailey en est devenu fou de rage. Pas tellement à cause de l'argent que de la manière dont il l'avait perdu, et contre Summers en plus. Il a donc pris un avion pour Montréal et a attendu que Summers rentre de sa petite soirée.

—Il lui a défoncé le crâne juste pour récupérer le billet ?

—Pas exactement. Il dit qu'il voulait juste avoir la moitié du gros lot, ou récupérer le billet pour le jeter de manière à ce qu'aucun des deux ne l'ait. Mais Summers n'était pas si paqueté qu'il en avait l'air. Il a surpris Bailey en train de fouiller dans son portefeuille alors que ce dernier croyait que Summers avait perdu connaissance. Bailey a su alors qu'il était fini. Dans un moment de panique, il a tué Summers et s'est enfui. Par la suite, quand il a saisi qu'il pourrait partir avec – Summers lui avait dit qu'il attendait de la visite –, il a gardé le billet, en se disant qu'il pourrait le « trouver » par hasard dans son portefeuille un mois plus tard. Après tout, personne d'autre n'était au courant et ne ferait le lien avec Summers.

— Voilà qui est finement raisonné, Salter. Mettez-moi tout ça dans votre rapport. Dites-moi, pourquoi n'avez-vous pas suivi la piste du relevé des bières dès que vous y avez pensé ?

— Je n'en avais pas compris l'importance, monsieur.

— N'en parlez pas dans votre rapport, alors. Écrivez plutôt : « Lorsque j'ai vérifié de nouveau le contenu du portefeuille, j'ai constaté que l'un des relevés de carte de crédit correspondait à une facture qui aurait dû être payée par le suspect. »

— Bien, monsieur.

— Bon. Quand vous avez découvert que le billet gagnant avait été acheté à Mississauga, pourquoi n'avez-vous pas vérifié les adresses de tous les suspects ? Vous auriez vu alors que l'entreprise où travaille Bailey y a une usine.

— Je pensais que ma théorie était fausse, monsieur. Je n'imaginais pas que quelqu'un essayait de récupérer son propre billet.

— Ne mettez pas ça. Écrivez : « J'ai alors décidé de vérifier le lien entre chaque suspect et Mississauga. » Qu'avez-vous fait ensuite ?

— Je suis allé au club de squash pour parler à Bailey. Mais avant que je puisse l'interroger convenablement, il était parti.

— Nom de Dieu ! Vous lui avez demandé s'il était coupable ? Là, au club de squash ?

— Plus ou moins, oui, monsieur.

— Pour l'amour du ciel ! Écrivez : « J'ai commencé par enquêter sur Bailey, qui était alors au club de squash. Cependant, mon comportement a dû le mettre sur ses gardes et il a vite quitté le club. J'ai appelé des renforts afin de fouiller son appartement et de l'arrêter si nécessaire.» Dans tout ça, il y a beaucoup de conjectures, Salter. Avez-vous assez de preuves ?

— Les conjectures concernent son mobile, monsieur. Nous avons trouvé des traces de sang sur une de ses chaussures et un bordereau de carte de crédit correspondant à son billet d'avion pour Montréal ce jour-là. Nous pouvons prouver qu'il a tué Summers.

— Vous savez quoi, Salter ? lança Orliff après quelques minutes. À votre place, je ne mettrais pas toute cette foutaise sur le squash et tout ça. J'écrirais : «Dès le début, j'avais envisagé la possibilité que le mobile soit le vol. Lorsque j'ai découvert la disparition du billet de loterie, j'ai conjecturé, sur la base des appels téléphoniques passés par Summers, sur la possibilité que Bailey sache quelque chose à propos de ce billet.» Laissez tomber le reste. Ne compliquez pas tout.

— Bien, monsieur.

— Tout cela est excellent, Salter, vraiment excellent. Et tous ces professeurs que vous avez coffrés ? L'un d'eux nous poursuit pour arrestation illégale. Ça pose un problème ?

— Je ne pense pas. Ils nous ont fichu une belle pagaille, mais sans eux je n'aurais pas découvert le gros lot de Summers. Ces braves gens étaient en train de s'enfirouaper mutuellement pendant que Summers se faisait tuer, mais ça n'avait rien à voir avec Bailey. Je dirai à Dunkley que l'accusation d'entrave à la justice est toujours en suspens ou, plutôt, je le dirai à son avocat. Il comprendra.

— Bien. Quant à vous, Salter, je peux vous dire que le Vieux est content. Votre copain de Montréal

nous a écrit une lettre dans laquelle il ne tarit pas
d'éloges à votre sujet : il dit que vous êtes brillant,
coopératif, et cætera. Le Vieux est si content qu'il
se demande si on ne pourrait pas vous trouver une
autre place, meilleure que celle que vous avez depuis
un an.

Au loin miroitait l'oasis, qui n'avait plus rien d'un
mirage. La véritable oasis, avec de l'eau, des dattes
et peut-être un chameau bien à lui. Salter ne dit rien.

—Il n'est pas rancunier, poursuivit le surintendant. Enfin, pas plus longtemps qu'il n'est nécessaire. Moi non plus. Bon, c'est bien.

D'un signe de tête, il congédia l'inspecteur.

◆

Ils étaient stationnés près de la promenade de
bois qui longeait le bord du lac. Il l'avait appelée et
était passé la prendre après le travail pour lui dire
au revoir. Ils avaient acheté du poisson-frites chez
Nova et mangeaient dans l'auto.

—Vous savez, lui confia-t-il, j'ai lu le journal du
professeur Summers. Vous y apparaissez un peu
partout. Je pense qu'il s'intéressait plus à vous que
vous ne l'imaginiez.

—Vous croyez ? Mais il ne voulait pas aller plus
loin. Nous avions juste une petite idylle sans larmes.
Il était peut-être un peu amoureux de moi, mais
c'est surtout la beauté de mon esprit qu'il aimait.

Probablement. Salter continua :

—Une fois, il a écrit qu'il aurait aimé vous voir
sans votre pantalon.

—Il a vraiment écrit ça ?

Elle riait.

—Oui. Je comprends ce qu'il voulait dire.

—Eh bien, salut, Charlie !

—Non, non. À mon avis, il voulait seulement dire qu'il vous avait toujours vue en jean. (Salter pensa à la fille qui dansait sur la table, à Montréal.) Je vous ai vue sans, un jour.

—Quand ?

—À l'enterrement, rappelez-vous.

Quelqu'un frappa à la vitre de l'auto. Un policier en uniforme voulait lui parler. Salter baissa la vitre et lui montra son badge.

—Désolé, monsieur. (Le policier le salua.) Nous avons reçu beaucoup de plaintes à propos de couples qui stationnent ici.

Il regarda ostensiblement Molly.

—C'est ma fille, détective. Nous ne faisons que manger du poisson-frites.

—Bien, monsieur. Bien.

L'homme partit.

—Et maintenant, annonça-t-il à la jeune fille hilare, je vous raccompagne chez vous.

◆

Plus tard, ce soir-là, il parlait au lit avec sa femme. Elle lui dit :

—Ce n'est pas ce que tu penses des professeurs, quand même ?

—Comment ça ?

—D'après ce que tu dis, il s'est fait tuer parce qu'il avait gagné une partie de squash. Est-ce normal ?

—Non, mais je comprends comment ça peut se produire.

—Et ce rendez-vous annuel au congrès ? Un peu théâtral, non ?

—Tu veux dire « littéraire ».

—Tu crois ? Et toutes ces étudiantes… À mon avis, les femmes des professeurs d'âge mûr doivent en voir de toutes les couleurs.

Salter s'approcha d'elle et lui mit la main sur le ventre.

—Maintenant, tais-toi, lui intima-t-il.

Elle posa sa main sur celle de son mari. Quelques instants plus tard, ils roulèrent ensemble et firent l'amour gentiment, dans la position du missionnaire ; Salter, comme un gentleman, faisait reposer le poids de son corps sur ses coudes. Il se concentra sur le plaisir de sa partenaire et la rejoignit quand elle fut prête. Plus tard, tandis qu'elle se lovait tout contre lui, elle murmura quelque chose dans son dos.

—Quoi ? demanda-t-il par-dessus son épaule.

Elle s'étira vers lui et l'embrassa.

—J'ai dit que c'était bon. Au fait, un certain Harry Wycke a appelé. Il voulait nous inviter à prendre un verre chez lui samedi soir. Je lui ai dit que je pensais que tu étais occupé. J'ai bien fait ? Qui est-ce ?

—Il est aux homicides. Je pense qu'on devrait y aller.

—Mais, Charlie, nous ne fréquentons jamais tes collègues de travail.

—Nous ne les fréquentions jamais. Mais nous devrions peut-être essayer. Wycke m'a tout l'air d'un gars bien. Maintenant, tais-toi et dors.

Docilement, elle fit semblant de dormir.

ERIC WRIGHT...

... est l'un des auteurs de fiction policière les plus honorés au Canada puisqu'il a, notamment, été quatre fois lauréat du prix Arthur-Ellis. En 1984, il a gagné avec son premier roman mettant en scène Charlie Salter, *La Nuit de toutes les chances*; il a récidivé deux ans plus tard avec *Death in the Old Country*. Il a aussi mérité le prix dans la catégorie nouvelle pour « À la recherche d'un homme honnête » (1988) et « Un tiens vaut mieux que deux tu l'auras » (1992). Outre les toujours populaires aventures de Charlie Salter, Eric Wright tient la chronique des aventures d'une détective, Lucy Trimple Brenner, et d'un policier à la retraite de Toronto, Mel Pickett. Eric Wright, qui est né en 1929, a publié en 1999 un volume de mémoires intitulé *Always Give a Penny to A Blind Man*.

LA NUIT DE TOUTES LES CHANCES
est le quatre-vingt-troisième titre publié
par Les Éditions Alire inc.

Il a été achevé d'imprimer
en mars 2004 sur les presses de

IMPRIMÉ AU CANADA